ÀS ARMAS, CIDADÃOS!

Universidade Federal de Minas Gerais
Reitor: Clélio Campolina Diniz
Vice-reitora: Rocksane de Carvalho Norton

Editora UFMG
Diretor: Wander Melo Miranda
Vice-diretor: Roberto Alexandre do Carmo Said

Conselho editorial
Wander Melo Miranda (presidente)
Ana Maria Caetano de Faria
Flavio de Lemos Carsalade
Heloisa Maria Murgel Starling
Márcio Gomes Soares
Maria das Graças Santa Bárbara
Maria Helena Damasceno e Silva Megale
Roberto Alexandre do Carmo Said

[2012]
Todos os direitos desta edição reservados à
EDITORA UFMG
Av. Antônio Carlos, 6627, cad. II, bloco III
Campus Pampulha
31270-901 — Belo Horizonte — MG
Telefone: (31) 3409-4650
Fax: (31) 3409-4768
www.editora.ufmg.br

Às armas, cidadãos!

Panfletos manuscritos da independência do Brasil (1820-1823)

*Organização, transcrição,
introdução e notas*
José Murilo de Carvalho
Lúcia Bastos
Marcello Basile

Copyright © 2012 by José Murilo de Carvalho, Lúcia Bastos e Marcello Basile

Grafia atualizada segundo o Acordo Ortográfico da Língua
Portuguesa de 1990, que entrou em vigor no Brasil em 2009.

Capa
Alceu Chiesorin Nunes

Foto de capa e imagens de miolo
Arquivo Histórico do Itamaraty. Reprodução de Augusto Carvalho Borges.

Preparação
Silvia Massimini Felix

Revisão
Fernanda Windholz
Huendel Viana

Dados Internacionais de Catalogação na Publicação (CIP)
(Câmara Brasileira do Livro, SP, Brasil)

Às armas, cidadãos! — Panfletos manuscritos da independência
do Brasil (1820-1823) / organização, transcrição, introdução e
notas José Murilo de Carvalho, Lúcia Bastos, Marcello Basile.
1ª ed. — São Paulo : Companhia das Letras ; Belo Horizonte :
Editora UFMG, 2012.

Bibliografia.
ISBN 978-85-359-2196-0 (Companhia das Letras)
ISBN 978-85-7041-991-0 (UFMG)

1. Brasil – História – I Reinado, 1822-1831 2. Brasil – História –
Independência, 1822 3. Pedro I, Imperador do Brasil, 1798-1834
4. Portugal – Brasil I. Carvalho, José Murilo de. II. Bastos, Lúcia.
III. Basile, Marcello.

12-13461   CDD-981.034

Índice para catálogo sistemático:
1. Independência : Brasil : História   981.034

[2012]
Todos os direitos desta edição reservados à
EDITORA SCHWARCZ S.A.
Rua Bandeira Paulista, 702, cj. 32
04532-002 — São Paulo — SP
Telefone: (11) 3707-3500
Fax: (11) 3707-3501
www.companhiadasletras.com.br
www.blogdacompanhia.com.br

Sumário

Introdução 7

Nota editorial 33

Relação dos panfletos 35

Parte i — Bahia 37

Parte ii — Rio de Janeiro 111

Parte iii — Portugal 177

Parte iv — Origem não identificada 185

Cronologia 217

Fontes e bibliografia 233

Introdução

'Às armas, cidadãos! É tempo. Às armas...'

Assim começava um dos muitos panfletos manuscritos colados nas paredes e nos postes de várias cidades brasileiras nos anos de 1820 a 1823, quando as ruas se agitavam na luta pela constitucionalização do reino e pela independência do Brasil. Tratava-se dos *papelinhos*, à época muito falados, mas até hoje pouco conhecidos.

Produzidos, geralmente, em momentos de turbulência política, os papelinhos, ou panfletos, manuscritos ou impressos, não foram exclusividade do Brasil e de Portugal. Armas típicas da vida política do mundo moderno e início do contemporâneo, os panfletos se fizeram presentes em diversos acontecimentos marcantes da história ocidental. É o caso, por exemplo, das 5 mil diatribes levantadas contra o cardeal Mazarino em meados do século XVII, na época das Frondas; dos inumeráveis panfletos das revoluções inglesas do século XVII; daqueles relativos à Guerra de Independência norte-americana, publicados ao longo de 1776; dos que vieram à luz entre 1789 e 1799 no calor da Revolução Francesa; dos que foram produzidos no período napoleônico e no processo de independência das ex-colônias espanholas.[1]

Entre o final do século XVIII e o início do XIX, o escrito passou a ter importância fundamental nas sociedades ocidentais. As discussões políticas começaram a ultrapassar o âmbito restrito das cortes e dos palácios para invadir os novos espaços públicos de sociabilidade surgidos paralelamente à difusão das Luzes[2] — os cafés, os salões, as academias, as livrarias e até mesmo as sociedades secretas, que, sob a proteção do segredo,[3] converteram a palavra em coisa pública, como salientou François-Xavier Guerra.[4]

1. Há abundante literatura sobre panfletos e folhetos. Cf., entre outros, Christian Jouhaud, *Mazarinades: La Fronde des mots*. Paris: Aubier, 1983; Christopher Hill, *O mundo de ponta-cabeça: Ideias radicais durante a Revolução Inglesa de 1640*. São Paulo: Companhia das Letras, 1987; Joad Raymond, *Pamphlets and Pamphleteering in Early Modern Britain*. Cambridge: Cambridge University Press, 2003; Bernard Bailyn, *As origens ideológicas da Revolução Americana*. Bauru: Edusc, 2003; Antoine de Baecque, "Panfletos: Libelo e mitologia política". In: Robert Darnton; Daniel Roche (Orgs.), *Revolução impressa: A imprensa na França. 1775-1800*. São Paulo: Edusp, 1996, pp. 225-38; François-Xavier Guerra, *Modernidad e independencias: Ensayos sobre las revoluciones hispánicas*. México: Mapfre; Fondo de Cultura Económica, 1992; José Antonio Aguilar Rivera, "Vicente Rocafuerte, los panfletos y la invención de la república hispanoamericana, 1821-1823". In: Paula Alonso (Comp.), *Construcciones impresas: Panfletos, diarios y revistas en la formación de los Estados nacionales en América Latina, 1820-1920*. Buenos Aires: Fondo de Cultura Económica, 2004; Maria Beatriz Nizza da Silva, *Movimento constitucional e separatismo no Brasil: 1821-1823*. Lisboa: Livros Horizontes, 1988; Nuno Daupiás d'Alcochete, "Les Pamphlets portugais anti-napoléoniens". *Arquivos do Centro Cultural Português*. Paris, 11: 7-16, 1978; Lúcia Maria Bastos P. Neves, *Napoleão Bonaparte: Imaginário e política em Portugal (c. 1808-1810)*. São Paulo: Alameda, 2008.

2. Jürgen Habermas, *L'Espace public: Archéologie de la publicité comme dimension constitutive de la sociéte bourgeoise*. Paris: Payot, 1993; Craig Calhoun (Ed.), *Habermas and the Public Sphere*. Cambridge (Mass.): MIT Press, 1997.

3. Reinhart Koselleck, *Crítica e crise: Uma contribuição à patogênese do mundo burguês*. Rio de Janeiro: Eduerj; Contraponto, 1999.

4. François-Xavier Guerra, op. cit.

Sob a forma manuscrita ou impressa, os panfletos transformaram-se em instrumentos eficazes de promoção do debate e, mais ainda, da ampliação de seu alcance, graças à prática da leitura coletiva em voz alta. Surgia a possibilidade de intervenção do indivíduo comum na condução dos destinos coletivos.

A América portuguesa caminhou mais lentamente. Até o início do século xix, ela permaneceu profundamente marcada pela cultura oral e outras características do Antigo Regime, às quais se somava a peculiaridade da escravidão. Na cultura oral, predominava a *voz geral*, que reproduzia a tradição e o bom senso da comunidade, tanto uma como o outro atualizados de acordo com as circunstâncias, sem que os envolvidos se dessem conta da mudança. A essa tradição opunha-se o conhecimento letrado, baseado em evidências e motivos racionais, situado em determinado tempo e lugar, no sentido mais propriamente histórico do termo situação.[5]

Com a chegada da Corte portuguesa ao Rio de Janeiro em 1808, no entanto, surgiu finalmente a imprensa e o discurso escrito iniciou sua trajetória rumo ao predomínio sobre a cultura oral. Os primeiros periódicos, embora ainda de caráter primordialmente noticioso, característico das gazetas antigas, já emitiam opinião sobre as questões políticas do momento. A opinião emitida, por sua vez, despertava o interesse dos leitores e dava início ao debate público. Mas foi a adesão, em 1821, das províncias do Grão-Pará, da Bahia e do Rio de Janeiro ao movimento liberal português, iniciado com a Revolução Liberal do Porto de 24 de agosto de 1820, que criou as condições para os primeiros ensaios

---

5. Cf. François Furet; Jacques Ozouf, "Trois Siécles de métissage culturel". *Annales. Economies, Sociétés, Civilisations*. Paris, 32 (3): 488-502, maio/jun. 1977; Arlette Farge, *Dire et mal dire: L'Opinion publique au XVIIIᵉ siècle*. Paris: Seuil, 1992; Jack Goody; Ian Watt, *As consequências do letramento*. São Paulo: Paulistana, 2006.

de uma relativa liberdade de imprensa, exercida em espaços públicos cada vez mais amplos. Entre esses espaços, salientavam-se, para o caso dos panfletos — manuscritos ou impressos —, as ruas e praças das cidades, cujas paredes e postes forneciam o suporte para a nova forma de comunicação.

Este livro contém a lista completa dos panfletos manuscritos até agora localizados que circularam no Rio de Janeiro, na Bahia, em Portugal e outros lugares ainda não identificados entre 1820 e 1823. Nesses anos, o Brasil vivenciou intensa agitação política precipitada pela Revolução do Porto. As primeiras manifestações dessa conjuntura revolucionária verificaram-se no Grão-Pará, em 1º de janeiro de 1821, quando a província aderiu ao movimento liberal português, jurando obediência a "El-Rei, o Senhor d. João VI e à augusta Casa de Bragança, às Cortes nacionais e à Constituição, que por elas for estabelecida, mantida a religião católica".[6] Em seguida, foi a vez da Bahia, que, em 10 de fevereiro, prestou juramento de fidelidade à Constituição a ser elaborada pelo Congresso. Para o jornal baiano *Idade d'Ouro do Brasil*, a data era memorável, pois na "briosa cidade repercutia o há muito suspirado eco da Regeneração do caráter português, que soou tão altamente nas margens do Douro e do Tejo".[7] Por fim, o Rio de Janeiro, então sede do Império português, aderiu ao movimento da Regeneração em 26 de fevereiro de 1821. Desses acontecimentos inéditos no mundo brasileiro brotou espantosa quantidade de jornais e panfletos que inauguraram novas práticas políticas. A grande maioria dos panfletos que sobreviveram era impressa. Alguns vinham de Lisboa, outros, do Rio de Janeiro e da Bahia, onde já

---

6. Antonio Ladislau Monteiro Baena, *Compêndio das eras da província do Pará*. Pará: Universidade Federal do Pará, 1969, pp. 319-24.

7. *Idade d'Ouro do Brazil*. Salvador, n. 13, 13 fev. 1821. Apud Maria Beatriz Nizza da Silva, *A primeira Gazeta da Bahia: Idade d'Ouro do Brasil*. 3. ed. Salvador: Edufba, 2011.

funcionavam tipografias. Geraram intenso debate, não apenas onde eram publicados, mas também no Pará, no Maranhão, em Pernambuco, São Paulo, Montevidéu e em outras localidades de menor expressão.

Os panfletos provêm em sua maioria da Bahia e do Rio de Janeiro. Como se trata de textos fragmentados, faz-se necessária, em benefício do leitor, informação mais sistemática, mesmo que sucinta, sobre a movimentação política nessas duas cidades.

Na Bahia, desde 10 de fevereiro, o movimento constitucional agitou a capital, mais conhecida na época como cidade da Bahia. O coronel Manuel Pedro de Freitas Guimarães, considerado pelos companheiros como o verdadeiro representante do patriotismo brasileiro, lançou em 10 de fevereiro uma proclamação esclarecendo o objetivo dos que tinham tomado a iniciativa da revolução: destruir os ferros do despotismo e da tirania e libertar a pátria em prol da Constituição. Alertou ainda para a traição do Rio de Janeiro. Mas, se dava vivas às Cortes, também exaltava d. João VI, agora soberano constitucional. Inocentava o rei e culpava seus conselheiros, em atitude típica do Antigo Regime.[8]

O periódico *Idade d'Ouro* também explicava aos baianos a atitude dos "revoltosos", formulando críticas à inércia da Corte frente às notícias chegadas de Lisboa. Em números posteriores à edição de 13 de fevereiro, conclamou as tropas de todo o Brasil a aceitarem o movimento que se iniciara em Portugal: "Soldados europeus e brasileiros de diferentes capitanias do Brasil, vinde já incorporar-vos às nossas honradas fileiras. Debandai desses pérfidos chefes de Satanás, que ainda querem que prevaleça o reino das trevas sobre o reino das Luzes".[9]

8. Instituto Histórico e Geográfico Brasileiro. Dl. 345.17; Emílio Joaquim da Silva Maia, *Estudos históricos sobre Portugal e Brasil*. Estudo XVIII. Relação dos successos effetuados na Bahia no dia 10 de fevereiro de 1821.
9. *Idade d'Ouro no Brazil*. Salvador, n. 18, 20 fev. 1821.

Inaugurava-se no Brasil prática política inédita: elegiam-se por aclamação juntas governativas. Primeiro no Pará: um juiz do povo, de uma das janelas do palácio, interrogou os cidadãos que se achavam à porta do mesmo para saber quais eram as pessoas escolhidas para o novo governo.[10] Em seguida, na Bahia. O procurador do Senado apregoava, de uma das janelas das praças dos Conselhos, para a multidão de povo e tropa apinhada do lado de fora, os nomes dos indivíduos que deveriam ser aprovados por geral aclamação. Eleitas pelos cidadãos, essas juntas foram, posteriormente, reconhecidas pelas Cortes de Lisboa, fato que reforçava seu poder em detrimento do controle central localizado no Rio de Janeiro.[11]

Na cidade da Bahia, começou logo a predominar a tendência de adesão às Cortes, com o consequente afastamento em relação à regência de d. Pedro. Para os constitucionalistas baianos, a regência reduzia-se à administração de mais uma província da nação portuguesa. Os revoltosos justificavam sua atitude com o argumento de que a política do governo fluminense de tentar manter sob seu controle as outras províncias era arbitrária. O decreto de 22 de abril de 1821, ainda de autoria de d. João vi,[12] era considerado abusivo pelos baianos, um "monstro em política" e um desejo "mal coberto de semear a cizânia e gerar divisões entre portugueses dos dois hemisférios".[13] Mas a posição da Bahia contra o Rio de Janeiro não se devia simplesmente à postura contrária ao sistema constitucional ou às propostas de autonomia do governo do Rio de Janeiro em relação a Portugal.

10. Domingos Antônio Rayol, *Motins políticos ou História dos principais acontecimentos políticos da província do Pará desde o ano de 1821 até 1835*. Belém: Universidade Federal do Pará, 1970, v. 1, p. 15.
11. Cf. Cronologia — 10 de fevereiro de 1821.
12. Cf. Cronologia — 21 e 22 de abril de 1821.
13. Ofício da Junta Provisional da Bahia às Cortes, 21 jun. 1821. Transcrito em *O Espelho*, Rio de Janeiro, n. 4, 24 out. 1821.

Para a Bahia, mais precisamente para a economia baiana, o grosso do comércio era com Portugal e África. Daí a oposição dos negociantes de Salvador aos tratados de 1810 assinados entre a Corte fluminense e a Inglaterra.[14] Havia semelhança entre a posição deles e a dos comerciantes portugueses de ultramar, privados que foram os últimos da maior parte dos lucros do comércio colonial e humilhados pela dependência em relação à Inglaterra. Inversamente, era de dessemelhança sua posição em relação aos comerciantes do Rio de Janeiro, portugueses ou não. Estes últimos estavam mais integrados na economia e na sociedade fluminenses e se beneficiavam das benesses da Corte. Daí a diferença na posição dos portugueses da Bahia e do Rio de Janeiro: os primeiros apoiando as Cortes, os segundos sustentando d. Pedro.

Além da questão econômica, que unia os comerciantes portugueses dos dois lados do Atlântico, havia também um importante fator político. Ao adotar postura favorável ao constitucionalismo português, a Bahia não deixava de entrever a possibilidade de uma autonomia que a Corte no Rio de Janeiro parecia negar desde sua instalação em 1808, quando se transformou em uma espécie de metrópole centralizadora, como fora Lisboa na época colonial.

A partir do movimento de 10 de fevereiro, segundo Francisco Sierra y Mariscal, que presenciou o movimento constitucional, esboçaram-se na Bahia três partidos, entendidos aqui como grupos que se posicionavam a favor ou contra determinada política. Em suas andanças pelas ruas, "envolto nas massas do povo", Sierra y Mariscal identificava um partido "europeu", que desejava manter a união com Portugal. O segundo, que denominava de "aristocrata", era composto "de alguns senhores de engenho, alguns empregados públicos e de mui poucos eclesiásticos". Seus membros

14. Ver panfleto n. 6.

queriam um "governo [...] independente de Portugal", com uma "Constituição e duas Câmaras". O terceiro partido era o "democrata", que almejava "governos provinciais independentes". Este último incluía a maior parte do clero e dos empregados públicos, que "ambicionavam os restos da fortuna dos europeus", e também a maioria dos senhores de engenho, "porque é o partido das revoluções e com elas se veem livres dos seus credores".[15]

Divisão semelhante é a que fornece Joaquim José da Silva Maia, comerciante português radicado em Salvador e editor do jornal *Semanário Cívico*. Defensor intransigente do constitucionalismo e da união com Portugal, Silva Maia falava, em 5 de setembro de 1822, em três partidos que dividiam o Brasil e a Bahia: o constitucional, o aristocrático e o democrático. O primeiro seria composto de todos os europeus (leia-se portugueses) e alguns brasileiros e só admitia a autoridade das cortes e do rei. O segundo incluiria um pequeno número de brasileiros e muito poucos europeus. Eram "empregados públicos, fofos e enfatuados proprietários, senhores de engenho". Queriam um rei no Brasil e a independência do país. O autor chama-os de "bonifácios", referência a José Bonifácio. O terceiro, mais numeroso, não queria rei nem cá nem lá, mas um governo democrático federativo republicano como o dos Estados Unidos.[16]

As várias correntes aos poucos se reduziram a duas. A primeira, dominante na capital, e composta, sobretudo, de militares e comerciantes lusos, mantinha-se fiel às Cortes de Lisboa e aceitava o governador de armas nomeado por carta régia de 9 de dezembro de 1821, o brigadeiro português Inácio Luís Madeira

---

15. Cf. Francisco de Sierra y Mariscal, "Ideas geraes sobre a revolução do Brazil e suas consequencias". *Anais da Biblioteca Nacional*. Rio de Janeiro, 43/44: 49-81, 1931. Para as citações, ver pp. 62-3. Cf. tamb   ém panfleto n. 8.

16. Citado em Maria Beatriz Nizza da Silva, *Semanário Cívico: Bahia, 1821-1823*. Salvador: UFBA, 2008, pp. 138-9.

de Melo. Seu principal porta-voz era o *Semanário Cívico*. A segunda consolidou-se no Recôncavo baiano, com o apoio decidido dos senhores de engenho, a que se aliavam militares brasileiros e parte da população urbana de Salvador. Diante da postura cada vez mais centralizadora das Cortes, esta corrente caminhou em direção ao apoio à regência e à liderança do príncipe d. Pedro. Na imprensa, seu melhor representante era *O Constitucional*, redigido por Francisco Gomes Brandão Montezuma. A dinâmica da política baiana entre 1821 e 1823 constitui-se do enfrentamento constante entre as duas tendências ou partidos, com o predomínio inicial da primeira e a vitória final da segunda.

Um primeiro confronto já se verificou nos dias 19 e 20 de fevereiro de 1822 entre os partidários do brigadeiro português Madeira de Melo e do coronel brasileiro Manuel Pedro de Freitas Guimarães, governador de armas interino.[17] O brigadeiro, apoiado pelas tropas, comerciantes e caixeiros portugueses, manteve a capital sob controle e garantiu sua lealdade às Cortes. Derrotados na capital, os aliados de Freitas Guimarães retiraram-se para as cidades do Recôncavo, sobretudo para Santo Amaro e Cachoeira, de onde, com o apoio dos senhores de engenho, organizaram a resistência, para a qual contaram com o auxílio do Rio de Janeiro. Vários pronunciamentos fizeram-se nesta região a favor do defensor perpétuo e constitucional do Brasil, o príncipe regente d. Pedro. Travou-se uma verdadeira guerra civil ao longo do final de 1822 e meados de 1823, recebendo cada lado — brasileiros e portugueses — reforços em tropas do Rio de Janeiro e de Portugal. Por fim, no dia 1º de julho de 1823, diante da impossibilidade de sobreviver ao cerco das tropas rebeldes, Madeira de Melo começou a executar o plano de abandono da cidade, embarcando

---

17. Ver Cronologia — 19 e 20 de fevereiro e 26 de março. Para os acontecimentos posteriores, cf. também a Cronologia.

soldados, oficiais e famílias de comerciantes portugueses nos navios mercantes e de guerra, ancorados no porto de Salvador. No dia seguinte, transpôs a barra com dezessete navios de guerra e setenta transportes em direção a Lisboa, sob a perseguição da esquadra brasileira comandada pelo almirante Cochrane. O Exército baiano-brasileiro, sob o comando do coronel José Joaquim de Lima e Silva, ocupou a cidade, consumando-se a adesão da Bahia ao Império do Brasil. O dia 2 de julho foi, a partir de então, considerado pelo povo baiano a data cívica de sua independência.[18]

No Rio de Janeiro, a Corte tomou conhecimento do movimento liberal do Porto em outubro de 1820, mas só reagiu oficialmente em 26 de fevereiro de 1821. Já tinha havido antes intensa agitação, manifestada em escritos impressos e manuscritos. Em carta ao intendente geral da Polícia, redigida ainda em janeiro de 1821, Cailhé de Geine, um informante dessa instituição, manifestava sua preocupação com a exaltação dos ânimos nas ruas. Assegurava que, depois da chegada de navios portugueses com notícias da Revolução do Porto e dos acontecimentos que transcorriam então na Bahia, "os papéis públicos e as canções patrióticas" circulavam livremente, lendo-se publicamente os primeiros e cantando-se as últimas em alta voz pelas ruas.[19]

Diante da situação inusitada, a Corte hesitou, dividida entre as tendências opostas de dois ministros, o conde de Palmela e Tomás Vilanova Portugal. O primeiro preconizava o imediato regres-

---

18. Para mais informações sobre a independência na Bahia, ver Luís Henrique Dias Tavares, *Independência do Brasil na Bahia*. Salvador: Edufba, 2007; Braz do Amaral, *História da independência na Bahia*. Salvador: Livraria Progresso Editora, 1957; Ignacio Accioli de Cerqueira e Silva, *Memórias históricas e políticas da Bahia*. Anotadas por Braz do Amaral. Salvador: Imprensa Oficial do Estado, 1931; Hendrik Kraay, *Política racial, Estado e Forças Armadas na época da Independência: Bahia, 1790-1850*. São Paulo: Hucitec, 2011.

19. Cartas de C. de Geine ao intendente da Polícia. Biblioteca Nacional-DMSS. II-33, 22, 54. 28 jan. 1821.

so de d. João vi a Lisboa para conter os excessos da revolução, ainda que correndo o risco de emprestar legitimidade aos revoltosos; o segundo preferia a permanência da Corte no Brasil, com o risco de perder o trono dos Bragança na Europa, a fim de evitar o contágio das ideias mais radicais e preservar na América a essência do Antigo Regime. Um decreto datado de 18 de fevereiro, mas publicado a 23, determinava o envio de d. Pedro a Portugal e reconhecia que a futura Constituição não podia ser "igualmente adaptável e conveniente, em todos os seus artigos e pontos essenciais, à povoação, localidade e mais circunstâncias tão ponderosas como atendíveis deste Reino do Brasil". Outro decreto da mesma data convocava os procuradores das câmaras das cidades e das principais vilas do Brasil a formarem uma junta de Cortes, com o objetivo de examinar as leis constitucionais discutidas nas Cortes de Lisboa.[20] Tais decretos acirraram ainda mais os ânimos dos portugueses residentes no Brasil e geraram novos descontentamentos, pois sugeriam que a Constituição deixava de ser obra da nação para se tornar dádiva do soberano.

As tropas da Divisão Auxiliadora portuguesa, com o apoio da opinião pública, reuniram-se no Rossio, dando início ao movimento constitucional no Rio de Janeiro. Exigiu-se do soberano o juramento imediato das bases da futura Constituição portuguesa, a demissão de alguns membros do governo e a adoção temporária da Constituição espanhola de 1812, até a elaboração da nova carta pelas Cortes. Representando o rei, d. Pedro compareceu ao Rossio e agiu com habilidade. Acatou parte das exigências, como o juramento da futura constituição, mas rejeitou a adoção da implantação da Constituição espanhola e a formação de uma junta governativa de nomeação popular. Sobretudo, afir-

20. Decretos de 18 e 23 de fevereiro de 1821. Apud *Gazeta Extraordinária do Rio de Janeiro*. Rio de Janeiro, n. 3, 24 fev. 1821.

mou o direito do monarca de aprovar ou não os atos das Cortes, assegurando, assim, a partilha da soberania entre estas e o rei, mantendo desse modo um arranjo político muito próximo ao do Antigo Regime. Marcava-se, dessa forma, o teor moderado do movimento, que aceitava as Cortes desde que se preservassem a monarquia e a religião católica.

As notícias do movimento tiveram ampla repercussão nos periódicos, folhetos e panfletos. Todos reconheciam que o 26 de fevereiro devia ser considerado a data "em que se abriu a toda a grande família portuguesa, espalhada nas quatro partes do mundo, o áureo tesouro da Independência nacional".[21] No rastro da agitação política, d. João VI decidiu partir para Portugal em 7 de março de 1821, deixando d. Pedro no Brasil como príncipe regente. Determinou ainda a eleição de deputados brasileiros para o Congresso de Lisboa.

Paralelamente, as notícias de Lisboa tornavam cada vez mais claros os objetivos do movimento constitucional português: submeter o rei ao controle das Cortes e restabelecer a supremacia da parte europeia sobre o restante do império. Os decretos de 29 de setembro de 1821 referendavam as juntas provinciais diretamente subordinadas a Lisboa e exigiam o regresso de d. Pedro à Europa. O príncipe regente, no entanto, não aceitou a imposição e decidiu lutar por uma monarquia mais próxima de um absolutismo ilustrado. As províncias do Rio de Janeiro, São Paulo e Minas Gerais vieram em seu auxílio, pressionando-o a permanecer no Brasil, decisão que tomou em 9 de janeiro de 1822, o dia do Fico. Dois dias depois, as tropas portuguesas tentaram obrigá-lo a embarcar para Lisboa, mas foram contidas pelo povo e pelos sol-

---

21. Biblioteca Nacional de Lisboa. Seção de Reservados. Mss. Códice 10759: "Relação dos sucessos do dia 26 de fevereiro de 1821 na Corte do Rio de Janeiro", 10 jun. 1821.

dados brasileiros. A partir daí, os acontecimentos se precipitaram, ampliando o divórcio entre o príncipe e o Brasil, de um lado, e as Cortes e Portugal, do outro. Cada vez mais a parte brasileira do Reino Unido recusava-se a abrir mão da igualdade, conseguida durante a permanência da Corte, em benefício do restabelecimento dos privilégios da antiga metrópole.

As medidas das Cortes tiveram o efeito de promover a até então difícil união das diversas províncias e facções das elites brasileiras. Já em 16 de janeiro, d. Pedro organizou um novo ministério, dirigido por José Bonifácio de Andrada e Silva. Um mês depois, convocou um conselho de procuradores, com o objetivo de estreitar os laços entre as diversas províncias e o governo do Rio de Janeiro. A partir de abril, Joaquim Gonçalves Ledo, denunciando a incapacidade das Cortes para o diálogo, passou a defender no *Revérbero Constitucional Fluminense*, de que era um dos redatores, a opção separatista. Em 23 de maio, José Clemente Pereira, presidente do Senado da Câmara do Rio de Janeiro, entregou a d. Pedro uma representação solicitando a convocação de uma assembleia brasílica, o que foi feito em 3 de junho.

Embora a ideia de independência já tivesse se manifestado em alguns panfletos, tinha mais a ver com a afirmação de um centro de poder que evitasse o esfacelamento do Brasil do que com a quebra dos laços de união entre Brasil e Portugal. Por decreto de 1º de agosto, d. Pedro declarou inimigas todas as tropas que desembarcassem no Brasil sem o seu consentimento. Na mesma data, o *Manifesto aos Povos do Brasil*, redigido por Gonçalves Ledo, e, em 6 de agosto, o *Manifesto às Nações Amigas*, preparado por José Bonifácio, admitiam a separação política como fato consumado. Para muitos observadores e participantes da época, os dois manifestos podiam ser considerados verdadeiras declarações de independência. Não eram declarações formais, como houve em muitas regiões da América,[22] mas não deixavam de ser justificativas dirigidas ao público luso-brasileiro e às Cortes estrangeiras dos motivos do descontentamento da antiga colônia, já elevada à categoria de Reino Unido. Não se tratava de uma rebelião. Ambos os manifestos culpavam o despotismo das Cortes pelo rumo dos acontecimentos: o primeiro considerava a separação irreversível e apelava para os sentimentos populares a fim de garantir a integridade do país; o segundo ainda hesitava em descartar a integridade do império luso-brasileiro.

Quando, em 7 de setembro, d. Pedro lançou o grito do Ipiranga, que hoje se comemora como data da independência, para a maioria dos contemporâneos a separação já estava consumada, faltando apenas oficializá-la com a aclamação de d. Pedro como imperador constitucional do Brasil, o que foi feito em 12 de outubro de 1822. Restava, porém, a d. Pedro e seus ministros garantir a integridade territorial. Ela foi conseguida com o recurso à força armada, mas também graças à legitimidade do imperador conferida por séculos de tradição monárquica.[23]

---

22. Para as declarações de independência, cf. David Armitage, *Declaração de Independência: Uma história global*. São Paulo: Companhia das Letras, 2011.
23. Para o processo de separação do Brasil de Portugal, há ampla bibliografia, desde textos clássicos, como Francisco Adolfo de Varnhagen, *História da Independência do Brasil* (1917). 6. ed. Brasília: INL, 1972; Oliveira Lima, *O movimento da independência: 1821-1822* (1922). Belo Horizonte: Itatiaia, 1989; José Honório Rodrigues, *A independência: Revolução e contrarrevolução*. Rio de Janeiro: Francisco Alves, 1975, v. 1; até trabalhos mais recentes como, entre outros: Maria Beatriz Nizza da Silva, *movimento constitucional...* op. cit.; Valentim Alexandre, *Os sentidos do império: Questão nacional e questão colonial na crise do Antigo Regime português*. Porto: Afrontamento, 1993; Maria de Lourdes Viana Lyra, *A utopia do poderoso império: Portugal e Brasil: bastidores da política, 1798-1822*. Rio de Janeiro: Sette Letras, 1994; Cecília Helena Lorenzini de Salles Oliveira, *A astúcia liberal: Relações de mercado e projetos políticos no Rio de Janeiro (1820-1824)*. São Paulo: CEDAPH, 1999; Iara Lis Carvalho Souza, *Pátria coroada: O Brasil como corpo autônomo, 1780-1831*. São Paulo: Unesp, 1999; Gladys Sabina Ribei-

Voltando aos panfletos, num primeiro momento, eles refletiram as consequências da Revolução do Porto, ou seja, dedicaram-se a combater o absolutismo, a pregar o fim do Antigo Regime, a explicar os princípios do constitucionalismo monárquico garantidor das liberdades individuais e a difundir um novo vocabulário político que então já se tornara familiar às elites ilustradas de ambos os lados do Atlântico. Em 1822, diante das medidas intransigentes das Cortes, o alvo dos panfletos, sobretudo dos impressos, deslocou-se para a questão da independência do Brasil. Destacaram-se nessa fase as polêmicas travadas entre brasileiros e portugueses em torno das razões para quebra ou manutenção da unidade do império. Às vésperas da independência, os panfletos serviam de porta-vozes a ricos e variados debates políticos em torno da constituição do novo país, assunto que se prolongou até 1823, alimentado pelos debates na Assembleia Constituinte.

Se a grande maioria desses escritos de circunstância que chegou até nós era impressa, alguns aparecem em forma manuscrita, característica que já vinha do período colonial — como demonstram, por exemplo, as *Cartas chilenas*, atribuídas a Tomás Antônio Gonzaga, que circularam em Minas às vésperas da Inconfidência; e os pasquins afixados em Salvador durante a Inconfidência Baiana de 1798.

Os panfletos aqui transcritos e analisados foram localizados no Arquivo Histórico do Itamaraty (daqui por diante AHI), sob a classificação genérica de Coleções Especiais, "Documentação do Ministério anterior a 1822", Independência, capitania da Bahia,

---

ro, *A liberdade em construção: Identidade nacional e conflitos antilusitanos no primeiro Reinado*. Rio de Janeiro: Relume Dumará, 2002; Lúcia Maria Bastos Pereira das Neves, *Corcundas e constitucionais: A cultura política da Independência (1820-1822)*. Rio de Janeiro: Revan; Faperj, 2003; István Jancsó (Org.), *Independência: História e historiografia*. São Paulo: Fapesp; Hucitec, 2005.

capitania do Rio de Janeiro e diversos (documentos avulsos).[24] No entanto, apesar de ser classificados como anteriores a 1822, alguns deles são de 1822 e 1823. Igualmente, na pasta "Diversos" acha-se um panfleto provavelmente redigido em Portugal. Há, ainda, outro panfleto na pasta "Bahia" que foi escrito no Rio de Janeiro.

Ao todo, foram transcritos 32 panfletos, sem dúvida amostra pequena dos papelinhos que circularam na época. Muitos deles ou não foram preservados ou se perderam nas gavetas de nossos empoeirados e maltratados arquivos e bibliotecas. Nas cidades onde ainda não existia tipografia,[25] é muito provável que o manuscrito fosse o meio de comunicação mais utilizado naqueles tempos de agitação política. Vale lembrar que o periódico *Conciliador do Maranhão* teve início, em 1820, como uma gazeta manuscrita e assim foi divulgada regularmente por sete meses,[26] até que passou a ser impresso em abril de 1821 e assim se manteve até julho de 1823, quando da adesão da província à causa da independência.

24. Coleções Especiais. Documentação do Ministério anterior a 1822. Independência. Capitania da Bahia. Lata 195, maço 1, pastas 5 e 7; Coleções Especiais. Documentação do Ministério anterior a 1822. Independência. Capitania do Rio de Janeiro. Lata 195, maço 6, pasta 2; Coleções Especiais. Documentação do Ministério anterior a 1822. Independência. Diversos. Lata 195, maço 6, pasta 13; Coleções Especiais. Documentação do Ministério anterior a 1822. Independência. Diversos. Documentos avulsos. Lata 204, maço 2, pasta 17. Agradecemos a José Celso de Castro Alves pela indicação, dada em 2003, sobre a existência de parte desse material no Arquivo Histórico do Itamaraty.
25. A tipografia foi iniciada no Brasil por decreto régio de 13 de maio de 1808 com a criação da Impressão Régia, no Rio de Janeiro. Depois, em 1811, surgiu a primeira tipografia particular, na Bahia, a de Manuel Antônio da Silva Serva. A partir de 1821, várias outras tipografias surgiram no Rio de Janeiro, em Pernambuco (funcionou por algum tempo em 1817), no Pará, no Maranhão e em Minas Gerais.
26. Infelizmente, até hoje não se encontrou nenhum exemplar dessa gazeta manuscrita. Há informações na documentação de época.

Também, no Pará, há notícias de que, em 1820, devido à falta de uma imprensa na capital, pasquins e manuscritos circulavam, fazendo críticas à administração do conde de Vila Flor, governador da capitania do Pará. A circulação dos panfletos manuscritos continuou. Assim, a junta de governo do Grão-Pará, eleita em 1º de janeiro de 1821, criou uma junta censória de três membros, que devia exercer censura prévia de todos os manuscritos produzidos na capitania, que só poderiam circular depois da aprovação dos respectivos censores. Os responsáveis seriam os autores e os copiadores, estes por eventuais alterações que fizessem.[27]

Na seleção dos panfletos, os organizadores excluíram as proclamações ou escritos oficiais encontrados nas pastas do AHI. Optaram por considerar panfletos apenas os papéis que contivessem crítica ou sátira política, tivessem ou não sido colados em paredes, postes ou nos muros das igrejas. Uma proclamação oficial foi, no entanto, incluída, a do brigadeiro Inácio Luís Madeira de Melo, governador das armas da província da Bahia, redigida em 1823. Ela o foi pela curiosidade de ter sido divulgada à moda dos *bandos* do Antigo Regime, ou seja, ao "som de caixas pelas ruas e praças públicas" das cidades, como está registrado no próprio documento.[28]

Em sua materialidade, os escritos apresentam-se em folhas soltas, ora em formato horizontal, medindo cerca de 21 centímetros de largura por 11,5 centímetros de altura, ora em formato

27. João de Palma Muniz, *Adesão do Grão-Pará à Independência e outros ensaios*. Belém: Conselho Estadual de Cultura, 1973, p. 69. Apud Geraldo Mártires Coelho, *Anarquistas, demagogos & dissidentes: A imprensa liberal no Pará de 1822*. Belém: Cejup, 1993, p. 105.
28. Ver panfleto n. 12. Segundo Antonio de Moraes Silva, "bando" era "pregão público, pelo qual se faz pública alguma ordem ou decreto". Cf. *Diccionario da lingua portuguesa recopilado dos vocabularios impressos até agora, e nesta segunda edição novamente emendado, e muito accrescentado*. Rio de Janeiro: oficinas da S. A. Litho-Typographia Fluminense, 1922, v. 1, p. 259 (Ed. fac-sim. da 2. ed., de 1813.).

vertical, com 31,5 centímetros, ou 25 centímetros, de altura por 21 centímetros de largura. Em alguns casos, são ainda visíveis restos de caliça, ou cola, no verso do documento original, prova de que foram colados em paredes ou postes em locais públicos de onde, seguramente, muitos foram mandados retirar pelas autoridades para evitar o incitamento do povo a favor da nova ordem política, como se comprova no panfleto de número 14, *Meu Amigo*, no qual se registra que foi arrancado em 20 de fevereiro.[29]

Os papelinhos manuscritos apresentavam estilo mais simples que os impressos. Utilizavam frases diretas e cortantes, destinadas a causar impacto sobre o leitor ou ouvinte e a facilitar a compreensão da mensagem. Alguns deles estão mesmo repletos de erros de grafia que dificultam a transcrição. Em proclamação aos habitantes do Rio de Janeiro intitulada *Às Armas Portugueses às Armas amantes da Vossa Nação*, por exemplo, pode-se ler no manuscrito original: "Às Armas avitantes desta Cidade já he tempo de quebrares os Grilhoins em q. atanto tempo tendes Vivido [...]".[30] Seu autor podia ter algumas letras, mas não eram, certamente, as de um bacharel de Coimbra. Os escritos expressavam ainda uma cultura oral que lhes permitia alcançar leitores de poucas letras ou sem recursos para comprar folhetos ou jornais. Ao ser afixados em praça pública, os papelinhos podiam ser lidos em voz alta para um público amplo, que era, assim, incorporado à vida política, vale dizer, aos acontecimentos que levaram à constitucionalização e à independência do Brasil.

A linguagem dos manuscritos era também mais violenta e contundente que a dos panfletos impressos. O fato pode ser explicado pela origem popular dos primeiros e pela precária liberdade de imprensa vigente à época, que impossibilitava a veiculação de certas informações em tipografia oficial ou particular. Os condu-

29. Por seu conteúdo, há indícios de que foi redigido em 1821.
30. Ver panfleto n. 18.

tores do movimento — negociantes, bacharéis e militares — agiam e falavam com prudência. Tinham prestado juramento à futura Constituição a ser elaborada pelo Congresso de Lisboa, mas proclamavam, ao mesmo tempo, obediência ao soberano, à dinastia e defendiam a "conservação da santa religião". Mas, por fora, irrompia nos panfletos manuscritos uma linguagem mais radical que circulava pelas ruas de Salvador e do Rio de Janeiro:

> *Às armas Cidadãos É tempo Às Armas*
> *Nem um momento mais, perder deveis*
> *Se à força da Razão os Reis não cedem*
> *Das Armas ao Poder cedam os Reis.*[31]

Era uma retórica que lembrava *A Marselhesa* — *Aux armes, Citoyens!* —, ainda que não refletisse o mesmo clima, pois, na quase totalidade dos casos, o objetivo dos panfletários não consistia em destronar a dinastia reinante, nem mesmo em derrocar a monarquia. Ele se limitava a quebrar os grilhões do despotismo, que havia tanto tempo, acusavam, oprimiam os luso-brasileiros.

Em alguns textos, a linguagem torna-se mais virulenta e, por vezes, mesmo grosseira, como nos versos da *Obra nova intitulada/ A entrada do Careca pela Barra*, uma clara alusão ao marechal Beresford, quando regressou do Brasil a Portugal logo depois da revolta do Porto. Além de chamar o ilustre marechal de "filho da Puta", com todas as letras, o panfleto acusava os brasileiros de "bananas", por terem deixado Beresford sair vivo do "país das araras, e coqueiros".[32]

Os panfletos assumiam a forma de versos, quadras, proclamações, relações de nomes, cartas anônimas, avisos, entre outras. Ao longo do ano de 1821, voltavam-se, principalmente, para a

31. Ver panfleto n. 17.
32. Ver panfleto n. 26.

importância de os brasileiros seguirem o exemplo dos irmãos portugueses na adesão à Regeneração, a fim de pôr abaixo o edifício do Antigo Regime. Exemplo desse apelo é o panfleto de número 4: "Heróis Baianos! Às Armas! A glória vos chama! Vossos Ilustres Ascendentes do Douro, e Tejo deram-vos o exemplo, e por vós esperam. Gritai audazes: Viva a Constituição do Brasil, e o Rei que não a recusará".

Insistiam também em que d. João vi aceitasse a Constituição que o Congresso de Lisboa elaborasse. Aconselhavam o soberano a assinar o documento, concentrando a crítica em seus ministros, em especial Tomás Antônio Vilanova Portugal, que, além de ministro de Estado, era seu homem de confiança, defensor do Antigo Regime, opositor radical da Revolução Liberal de 1820 e das Cortes de Lisboa:

> *Se queres ainda Reinar,*
> *Olha beato João,*
> *Deves ir para Portugal,*
> *E assinar a Constituição.*

> *Se tu depressa não vais*
> *Para o teu país natal,*
> *Ó João olha que perdes*
> *O Brasil e Portugal*

> [...]

> *Não te fies no malvado,*
> *No pérfido Thomaz Antonio*
> *Olha que quando te fala,*
> *Por ele te fala o Demônio.*[33]

33. Ver panfleto n. 24.

Certos textos adotavam uma retórica constitucional mais radical. Afirmavam, por exemplo, que foi por intermédio do povo que se atribuiu poder ao rei, e ao povo competia, portanto, legislar. Logo, o rei era apenas um chefe que devia executar a lei imposta pela nação. Ele não podia ditar a lei.[34] Reforçando tais ideias, outro escrito afirmava que era possível haver "Povo sem ter Rei", mas não podia haver "Rei sem ter Povo".[35] De forma implícita, veiculavam noções de um novo pacto social baseado na soberania popular, no qual a nação tornava-se livre e independente, representada legitimamente por uma assembleia detentora do direito "inalienável e imprescritível de formar, estabelecer e aperfeiçoar uma Constituição", que superasse uma soberania partilhada entre Cortes e rei. Alertavam não ser mais possível que o rei violasse os direitos do povo, pois, como também declarava um panfleto impresso da época, "os Reis são feitos para os Povos, e não os Povos para os Reis; que os Povos podem viver e existir sem os Reis e não os Reis sem os Povos".[36] Esse é, aliás, um curioso exemplo de coincidência de tema e linguagem entre os panfletos manuscritos e os impressos.

Mas eram raras as manifestações revolucionárias. Os panfletos manuscritos, em sua maioria, pareciam acreditar na inocência

---

34. Ver panfleto n. 28.

35. Ver panfleto n. 29.

36. Para as citações, cf. *Memoria constitucional e politica sobre o estado presente de Portugal, e do Brasil; dirigida a Elrey nosso senhor, e offerecida a Sua Alteza o Principe Real do Reino Unido de Portugal Brasil e Algarves, e regente do Brasil, por José Antonio de Miranda, fidalgo cavalleiro da Caza de Sua Magestade, e ouvidor, eleito do Rio Grande do Sul*. Rio de Janeiro: Typographia Regia, 1821. Com Licença de S. A. R., pp. 47 e 53, respectivamente. Segundo o autor, a *Memória* devia ter sido apresentada a d. João quando foi redigida, mas um incidente — o documento foi mostrado por alguém a um espião de Tomás Vilanova Portugal — fez com que o autor ficasse comprometido por ser muito liberal e constitucional. Cf. p. VIII.

do soberano, aconselhando-o a demitir pérfidos e malvados ministros e validos:

> *Demite, Rei, de ti esses malvados*
> *Que de todo a Nação querem acabar*
> *Chama homens de bem, desinteressados,*
> *Se queres tantos males evitar.*[37]

A *voz geral* desejava vê-los afastados da esfera do poder, em especial Vilanova Portugal, que acumulava as pastas do Reino e da Guerra e a presidência do Real Erário, e Francisco Bento Maria Targini, visconde de São Lourenço, responsável pelo Erário Régio. Este tinha a fama de roubar o tesouro, como informava, desde 1812, Luís dos Santos Marrocos em suas cartas ao pai, ao comentar os vários pasquins que circulavam na Corte:

> *Furta Azevedo no Paço*
> *Targini rouba no Erário*
> *E o povo aflito carrega*
> *Pesada cruz ao Calvário.*[38]

Até 1822, apesar das ameaças ao rei, das incitações ao povo, da pregação, algumas vezes da violência, não se encontrou na maioria dos panfletos manuscritos qualquer alusão à independência do Brasil. Favoráveis ao constitucionalismo e às ideias liberais, eles se mantinham fiéis à dinastia de Bragança e à unidade do império português. Afinal, foram os "ilustres ascendentes

---

37. Ver panfleto n. 29.
38. Luís Joaquim dos Santos Marrocos. Carta n. 15 de 29 de fevereiro de 1812. *Cartas do Rio de Janeiro, 1811-1821*. Lisboa: Biblioteca Nacional de Portugal, 2008, p. 111. Azevedo referia-se a Antonio de Araújo Azevedo, futuro conde da Barca e ministro de d. João.

do Douro e do Tejo" que deram aos luso-brasileiros o exemplo para romper as cadeias do despotismo que havia muito tempo os oprimia. Eram raros os folhetos que faziam alusão à separação do Brasil: um, escrito em meados de 1822, menciona o Império do Brasil e a adesão das cidades da Bahia a d. Pedro, embora continue a dar vivas a d. João vi;[39] outro, escrito entre o final de 1822 e o início de 1823, critica as hostilidades que Portugal fazia ao Brasil enviando tropas e planejando mesmo "sublevar e armar os escravos";[40] um terceiro transcreve uma proclamação do brigadeiro Inácio Luís Madeira de Melo, governador das armas da Bahia, que alertava para a revolução que ocorria na Bahia contra Portugal, informando que a cidade de Salvador, "único lugar que se conserva[va] fiel", encontrava-se em estado de sítio. A proclamação foi redigida em maio de 1823, dois meses antes da expulsão de Madeira e da adesão final da Bahia ao Império do Brasil.[41]

É preciso observar, no entanto, que a escassez de menções à independência pode ser devida à datação dos panfletos, em sua maioria de 1821 e início de 1822. No caso da Bahia, particularmente, a independência só se verificou em 2 de julho de 1823, e o movimento rebelde concentrou-se no Recôncavo, longe da capital, onde a participação política era mais ampla. No Rio de Janeiro, a ausência de referências à independência pode dever-se ao simples fato de que o processo era apoiado, a partir do final de 1821, pelo próprio d. Pedro, e os independentistas podiam manifestar-se abertamente pela imprensa. Há ainda uma possível razão que nenhum historiador pode desprezar: qual a representatividade dos panfletos manuscritos que sobreviveram e por que sobreviveram? Como foram parar, e só eles, no AHI? Houve outros, com certeza. Mas onde estão eles, e o que diziam?

39. Ver panfleto n. 9.
40. Ver panfleto n. 25.
41. Ver panfleto n. 12.

Apesar de os originais não terem sido achados, há notícias de outros pasquins sediciosos redigidos em finais de setembro de 1821 e afixados nos muros da cidade do Rio de Janeiro. Os primeiros chamavam os portugueses às armas para evitar uma conjuração de altos funcionários, todos reinóis, destinada a tornar d. Pedro "independente com os brasileiros". Foram seguidos de outros pasquins, cuja autoria o representante da Áustria no Brasil, o barão de Mareschal, não hesitava em atribuir a um partido brasileiro. Um deles apontava a necessidade da independência em relação a Portugal, proclamava d. Pedro monarca do Brasil e escolhia 12 de outubro, data de seu aniversário, para o movimento. Na ótica do representante da Santa Aliança, parecia certa a existência de "um complô que desejava efetivamente a independência do Brasil e declarar o príncipe regente como imperador", mas reconhecia, ao mesmo tempo, que o projeto ainda não adquirira forma, conduzido que era por "indivíduos obscuros e sem meios", embora muitos acreditassem que "as principais famílias brasileiras [estivessem] informadas do projeto" e o apoiassem, tanto quanto o próprio príncipe regente. Ou seja,

> *Para ser de glória farto*
> *Inda que não fosse herdeiro,*
> *Seja já Pedro Primeiro*
> *Se algum dia há de ser Quarto.*
> *Não é preciso algum parto*
> *De Bernarda atroador;*
> *Seja nosso imperador,*
> *Com governo liberal*
> *De Cortes, franco e legal;*
> *Mas nunca Nosso Senhor.*[42]

42. Portugal, *Participação e documentos dirigidos ao Governo pelo general comandante da tropa expedicionaria que existia na provincia do Rio de Janeiro, chegando*

A publicação da lista completa dos panfletos manuscritos justifica-se plenamente pela originalidade de sua apresentação, pelo sabor do texto e pela riqueza de informação que trazem sobre um período crucial de nossa história. A maioria deles é inédita[43] e pouco explorada pelos pesquisadores. Se os panfletos impressos da mesma época revelam intenso debate político entre letrados em torno dos grandes problemas do momento, os manuscritos sobressaem pela revelação da participação das ruas na "guerra literária" da constitucionalização e da independência, como a chamou Luis Gonçalves dos Santos, o padre Perereca.[44] Os primeiros indicam a complexidade do debate, os segundos, seu alcance. Juntos, desvelam nova dimensão dos acontecimentos, qual seja, o grande envolvimento político de amplas camadas da população. No caso da Bahia, sobretudo, a participação na guerra

---

á Lisboa e remettidos pelo Governo ás Cortes Geraes, Extraordinarias e Constituintes da Nação portuguesa. Lisboa: Imp. Nacional, 1822, pp. 4 e 37. Para a visão de Mareschal, ver Jeronymo de A. Figueira de Melo. "Correspondência do Barão Wenzel de Marschall". *Revista do Instituto Histórico e Geográfico Brasileiro.* Rio de Janeiro, 77: 226-7, 1914. Também carta de José Joaquim Carneiro de Campos a frei Francisco de S. Luís Saraiva, em 9 de outubro de 1821, descrevendo esses acontecimentos e na qual comenta sobre as ideias separatistas no Brasil. Apud Brasil, *Documentos para a história da Independência.* v. 1. Rio de Janeiro: Officinas Graphicas da Biblioteca Nacional, 1923, pp. 360-4, especialmente p. 361. Versos em Portugal, *Participação e documentos...*, op. cit., p. 37.

43. Alguns desses panfletos foram transcritos por Kirsten Schultz, *Versalhes tropical: Império, monarquia e a Corte real portuguesa no Rio de Janeiro, 1808-1821.* Rio de Janeiro: Civilização Brasileira, 2008. Além de poucos, sua transcrição e interpretação dão margem a controvérsia.

44. [Luis Gonçalves dos Santos], *Justa retribuição dada ao Compadre de Lisboa em desagravo dos brasileiros offendidos por varias asserções, que escreveo na sua carta em resposta ao Compadre de Belem, pelo Filho do Compadre do Rio de Janeiro, que a offerece, e dedica aos seus patricios.* Rio de Janeiro: Typographia Regia, 1821, p. 5. O panfleto encontra-se integralmente reproduzido em *O debate político no processo da Independência.* Introdução de Raymundo Faoro. Rio de Janeiro: Conselho Federal de Cultura, 1973.

literária foi um complemento à guerra real de fuzis e canhões que envolveu milhares de pessoas. Pequenos no tamanho, simples na argumentação, às vezes toscos no estilo, os panfletos manuscritos são desde já documentos constitutivos da história de uma época.

Nota editorial

No intento de tornar o texto dos manuscritos acessível ao leitor de hoje e, ao mesmo tempo, manter nele o sabor da época, foram estabelecidas algumas diretrizes para a transcrição. A ortografia foi atualizada, exceto para os nomes próprios, mas a pontuação foi preservada. Foi mantido o uso de maiúsculas. As abreviações de palavras e tratamentos foram desdobradas, exceto as conhecidas, como S. M. I. Havendo erro óbvio na grafia de uma palavra, a versão correta foi dada entre colchetes. Em caso de dúvida na leitura, a versão provável foi posta entre colchetes seguida de interrogação. Palavras mutiladas ou ilegíveis foram assim classificadas entre colchetes. As palavras em versalete no início de cada panfleto transcrito indicam os títulos que constam de sua relação. O leitor interessado poderá conferir as reproduções dos originais manuscritos, que acompanham a transcrição dos panfletos.

Relação dos panfletos

PARTE I — BAHIA

1. *Baianos, a quem se não a vós.* [Início de 1821]
2. *Brasileiros, e Europeus.* [Início de 1821]
3. *Cidadãos Baianos, Bravos Guerreiros.* [Início de 1821]
4. *Heróis Baianos! Às Armas!* [Início de 1821]
5. *Heróis da Bahia, levantai vossas cabeças.* [Início de 1821]
6. *Negociantes da Bahia!* [Início de 1821]
7. *Temos tanta segurança.* 24 fev. [1821]
8. *Exmo. Sr./ O ministério, ou está vendido.* 1º mar. [1821]
9. *Proclamação.* [Meados de 1822]
10. *Lembranças do estado da Bahia de 2 de Setembro 1822.* 2 set. 1822
11. *Instruções, que os Brasileiros da Bahia.* [1822]
12. *Ignacio Luis Madeira de Mello.* 9 maio 1823
13. *Inspetor Felisberto Caldeira.* [Data não identificada]
14. *Meu Amigo.* [Data não identificada]

PARTE II — RIO DE JANEIRO

15. *Americanos, e Europeus.* [Início de 1821]
16. *Habitantes do Rio de Janeiro.* [Fev. 1821]
17. *Às Armas Cidadãos.* [c. set. 1821]
18. *Às Armas Portugueses às Armas amantes da Vossa Nação.* [1821]
19. *Convocação à cegueira desta Corte.* [1821]
20. *Meu Amigo/ Cada vez mais novidades.* [1821]
21. *Participa-se a V. M.* [1821]
22. *Quais são os melhoramentos que exige esta administração da Justiça.* [1821?]
23. *Relação das pessoas que deviam ser presas.* [1821]
24. *Thomaz, deves apresentar isto a El-Rei.* [1821]
25. *Proposta.* [Final de 1822-início de 1823]

PARTE III — PORTUGAL

26. *Obra nova intitulada/ A entrada do Careca pela Barra.* [Out. 1820]

PARTE IV — ORIGEM NÃO IDENTIFICADA

27. *Iludido Monarca.* 20 fev. [1821]
28. *Aviso.* [1821]
29. *Como pode o Rei ao Povo dar a Lei.* [1821]
30. *Exmo./ Cuide-se em manter respeito.* [1821]
31. *Hino.* [1821]
32. *Quadras.* [1822]

PARTE I

BAHIA

Panfleto 1

Bahianos, a quem sinaõ a vos, que constituis

a ilustre Povoação da Capital primeira do Estado Brasilico, cumpre repetir no Brazil os esforços generosos dos nossos Pais de Portugal? Todas as mais Provincias deste Reino estão à mira de vossa conducta; vossas bravas Tropas naõ recusaraõ a hum serviço que tanto illustra os seos irmãos d'armas de Portugal. Mesmo entre nós existem bravos do N.º 12. que promptos fraternisaraõ com vosco. Naõ vos assuste a alcunha de rebelde, ella vos naõ pode competir, quando seguindo as pegadas dos Patriotas Portuguezes, naõ reclamais senaõ os vossos foros, e franquezas, e huma Constituiçaõ, a que vos intitula, e dá direito o mesmo Soberanno, elevandovos pa... o Reino igual im tudo ao de Portugal, e dos Algarves. Elle sabe destinguir Vassallos Leaes ainda nos que se oppoem, naõ à Sua Vontade, que naõ quer senaõ o bem de Seos Vassallos, mas o systema devastador das sanguexugas que o rodeaõ, e enganaõ. Vosso mesmo General tem sobejo senso para se vos unir, e assas patriotismo para fazer prosperar vossos projectos. Leia pois de hua vez hum Governo desleixado, que apezar das vistas de hum Bem ... tem trabalhado por degradarvos de dia em dia, raye emfim o dia de hua Constituiçaõ Liberal, que segurando os vossos mais sagrados direitos consolide a vossa felicidade, e a do Monarcha.

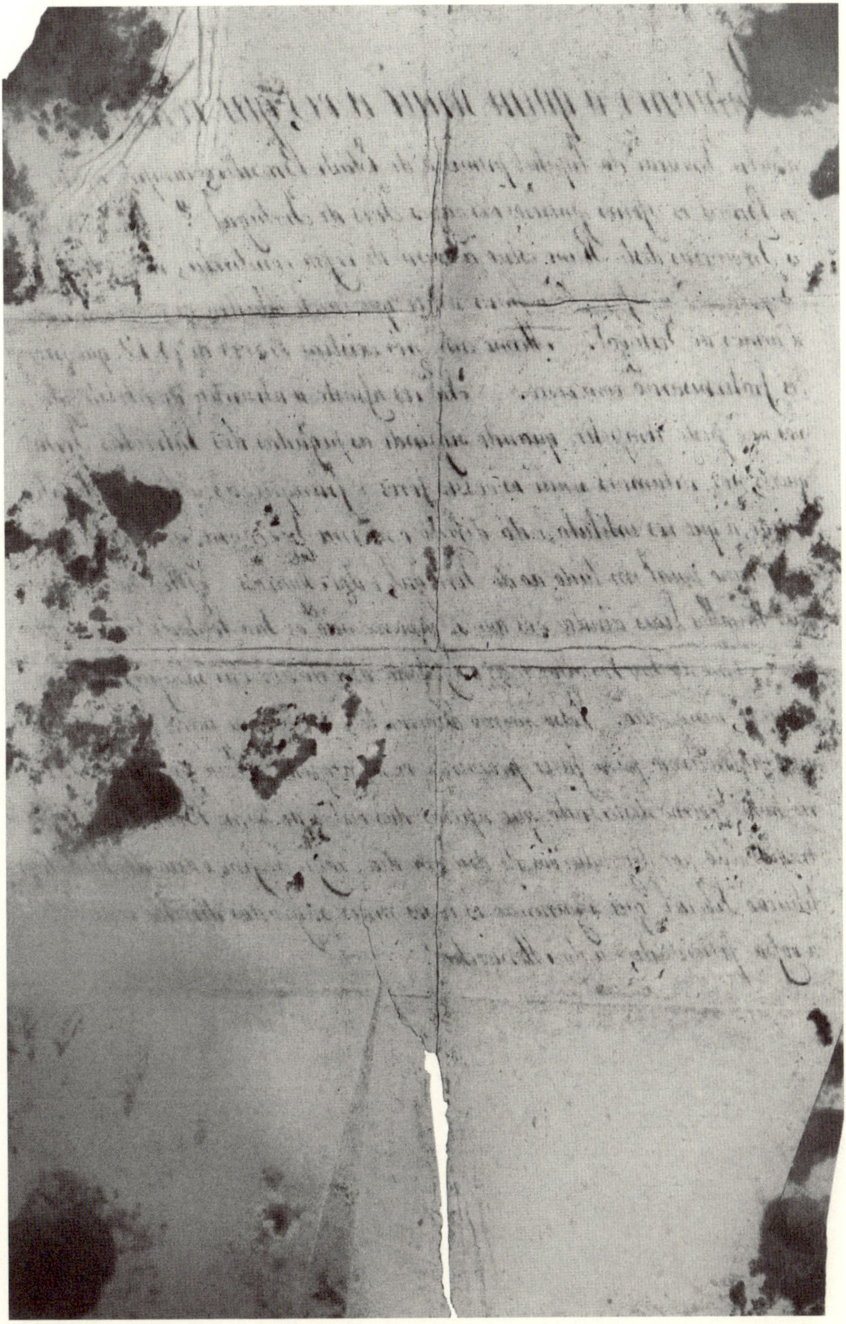

BAIANOS, A QUEM SE NÃO A VÓS, que constituís a nobre Povoação da Capital primeira do Estado Brasílico, cumpre repetir no Brasil os esforços generosos dos nossos Pais de Portugal? Todas as mais Províncias deste Reino estão à mira de vossa conduta; vossas briosas Tropas não se refusarão a um serviço, que tanto ilustra os seus irmãos d'armas da Europa.

Mesmo entre vós existem bravos do N. 12,[45] que prontos fraternizarão convosco. Não vos assuste a alcunha de rebelde; ela vos não pode competir, quando seguindo as pegadas dos Patriotas Portugueses, não reclameis senão os vossos foros, e franquezas, e uma Constituição, a que vos intitula, e dá direito o mesmo Soberano, elevando vosso país a Reino igual em tudo ao de Portugal, e dos Algarves. El Rei sabe distinguir Vassalos Leais ainda nos que se opõem, não a Sua Vontade, que não quer senão o bem de Seus Vassalos, mas ao sistema devastador das sanguessugas, que o ro-

---

45. Regimento de número 12 da Legião Constitucional Lusitana, alojado no quartel de São Bento, largo de São Bento.

deiam, e enganam. Vosso mesmo General tem sobejo senso para se vos unir, e assaz patriotismo para fazer prosperar vossos projetos. Eia pois finde por uma vez um Governo desleixado, que apesar das vistas de um Bom Rei, tem trabalhado por degradar-vos de dia em dia, raie enfim o dia de uma Constituição Liberal, que segurando os vossos mais sagrados direitos, consolide a vossa felicidade, e a do Monarca.

[Início de 1821]

AHI — lata 195, maço 1, pasta 7.

Panfleto 2

Brazileiros, e Europeos, quem vos amava, e quem vos vos
tem ados opposto de q' tanto necessitaes; Não tendes tão
forte exemplar nos vosos Irmaos de Portugal; não ve
dis o heroysmo com q' os bravos Portuguezes quebrarão as
grilhoens com q' se achavão opremidos; seguendo seu bra
vo homens, que por inspiração Devina quebrarão os Povos o abysmo em que se achavão precipitados a Nação,
vos convidamos para seguir aseu exemplo, por q' vos achamos
nas mymas circunstancias, q' Vbs. Eia pois livramos já de
sacudir o vergonhoso jugo, que nos oprime, levremos Desey
vis adultados, vsanctuayos do Estado, que em torno do nos
so bom cadorado soberano, aburundo de sua bondade só buscão
com os seus perfidos conselhos adquirir homras, moyuraos, a
custa do suor, e sangue dos Povos, minlrona Estruição do Nação. No tempo pois, os Armas, os Armas cidadaos honrados
vamos unir os vosos votos aos dos vosos Irmaons Europeos,
de manira q' Deseso du mymo constituicão toste o Reino
unido da Portugal, Brazil, e Algarves, que do se

...nidade, de que he necessário, ... e juizo vergonhoso, e
dispotismo que opprime. Viva a Religião, viva El Rej,
... a Constituição; ... todos aquelles, que maliciosamente se opõem a sua approvação.

BRASILEIROS, E EUROPEUS, quem vos demora e quem vos sustém a dar o passo [de] que tanto necessitais; Não tendes tão fortes exemplos nos vossos Irmãos de Portugal; não vedes o heroísmo com que os bravos Portugueses quebraram os grilhões com que se achavam oprimidos. Seguindo pois bravos homens, que por inspiração Divina patentearam aos Povos o abismo em que se achava precipitada a Nação, vos convidamos para seguir o seu exemplo, porque nos achamos nas mesmas circunstâncias, que eles. Eia pois tratemos já de sacudir o vergonhoso jugo, que nos oprime, livremo-nos desses vis aduladores e samichugas [sanguessugas] do Estado, que em torno do nosso bom e adorado soberano, abusando da sua bondade só buscam com os seus pérfidos conselhos adquirir honras, e riquezas, à custa do suor, e sangue dos vassalos, isso trará a destruição da Nação. É tempo pois, às Armas, às Armas cidadãos honrados, vamos unir os nossos votos aos dos nossos Irmãos Europeus, de maneira que debaixo da mesma constituição todo o Reino unido de Portugal, Brasil, e Algarves, que da felicidade, de que é merecedor, sacudindo o jugo vergonhoso e o despotismo que o oprime. Viva a Religião, Viva El Rei, Viva a constituição e morram todos aqueles, que maliciosamente se opõem à sua aprovação. Etc. Etc.[46]

[Início de 1821]

AHI — lata 195, maço 1, pasta 7.

---

46. Panfleto redigido antes da adesão da Bahia (10 de fevereiro de 1821) à Revolução Liberal do Porto. Procurava criticar especialmente os ministros de d. João, porém se mantendo fiel ao soberano desde que este aceitasse a Constituição a ser elaborada, em Portugal, pelas Cortes Extraordinárias.

Panfleto 3

Cidadãos Baianos Bravos Guerreiros, que constituis hũa grande parte do gloriozo Exercito do Brazil, eis o momento felis de ganhardes o loiro immarcecivel, que foi sempre a partilha dos Heroes de Marte, dos Povos briozos! A Peninsula, o berso illustre dos Vossos Maiores entuou o Cantico da Liberdade, e apareceo Congreço Nacional, hua Constituição representativa que a salvou da aviltação do dispotismo. O Brazil Terá elle menos razão? Ah! Nos o vemos com lastima: nos o sentimos. E ia pois o' Brazileiros! levantae o grito da Liberdade; e logo do Amazona a The o Prata haverá Congreço Nacional, haverá Constituição que, tirandonos do aviltamento da escravidão, nos fassa hũ Povo Livre, e Reprezentativo. Não vós fascineis da fanatica idea do crime: ella he a impustura do dispotismo, para acanhar o brio aos homens. Os exemplos são Tão decezivos já, que popão a demonstração Assumi pois a energia que vós caracteriza; e mostrando ao Mundo que partilhaes da gloria, exigi do Bom Rei, que nos rege, reprezentação politica, e Nacional. Se o Brazil he Reino Unido aos de Portugal, e Algarve, seja Tão bem Constitucional como elles. Por Tanto, o' Baianos, com os Heroes do Doiro, e Tejo gritae audazes = Vivão as Cortes futuras do Brazil: Viva o Senhor Dom João VI. nosso Rei, e com elle, a Constituição do Brazil.

CIDADÃOS BAIANOS, BRAVOS GUERREIROS, que constituís uma grande parte do glorioso Exército do Brasil, eis o momento feliz de ganhardes o louro imarcescível, que foi sempre a partilha dos Heróis de Marte, dos Povos briosos! A Península, o berço ilustre dos Vossos Maiores, entoou o Cântico da Liberdade, e apareceu o Congresso Nacional, uma Constituição representativa que a salvou da aviltação do despotismo. O Brasil terá ele menos razão? Ah! Nós o vemos com lástima: nós o sentimos. Eia pois ó Brasileiros! levantai o grito da Liberdade; e logo do Amazonas até o Prata haverá Congresso Nacional, haverá Constituição que, tirando-nos do aviltamento da escravidão, nos faça um Povo Livre, e Representativo. Não vos fascineis da fanática ideia do crime: ela é a impostura do despotismo, para acanhar o brio aos homens. Os exemplos são tão decisivos já, que poupam a demonstração. Assumi pois a energia que vos caracteriza, e mostrando ao Mundo que partilhais da glória, exigi do Bom Rei, que nos rege, representação política, e Nacional. Se o Brasil é Reino Unido aos de Portugal, e Algarve [sic], seja também Constitucional como eles. Portanto, ó Baianos, com os Heróis do Douro, e Tejo gritai audazes — Vivam as Cortes futuras do Brasil: Viva o Senhor Dom João vi, nosso Rei, e com ele, a Constituição do Brasil.[47]

[Início de 1821]

AHI — lata 195, maço 1, pasta 7.

---

47. Escrito antes dos acontecimentos de 10 de fevereiro de 1821, o panfleto demonstra a necessidade de a Bahia aceitar a Regeneração portuguesa e seus efeitos: o fim do despotismo, a adoção da futura Constituição e a ideia de uma representação nacional.

Panfleto 4

Heroes Baianos.! ás Armas.!
A gloria vôs chama. Vossos
Illustres Accendentes do Doiro,
e Tejo deraõ-vôs o exemplo, e
por vós esperaõ. Gritae au
clases = Viva a Constituiça do
Brazil, e o Rei q̃ naõ a recuzará.

HERÓIS BAIANOS! ÀS ARMAS!
A glória vos chama. Vossos
Ilustres Ascendentes do Douro,
e Tejo deram-vos o exemplo, e
por vós esperam. Gritai audazes — Viva a Constituição do
Brasil, e o Rei que não a recusará.

[Início de 1821]

AHI — lata 195, maço 1, pasta 7.

Panfleto 5

Heroes da Bahia, levantae
vossas cabeças: não vedes
o exemplo de Portugal?
que fazeis vos?

HERÓIS DA BAHIA, LEVANTAI
VOSSAS CABEÇAS: não vedes
o exemplo de Portugal?
Que fazeis vós?

[Início de 1821]

AHI — lata 195, maço 1, pasta 7.

Panfleto 6

Negociantes da Bahia! Vos q̃ sois oner
vo do Estado; Vos sobre quem o despotismo tem mais pezado; e cujos interesses
tem sido menos protegidos; que fazeis!!
     Os vossos Irmãos, e associados da
Europa tem aberto aestrada da gloria.
     Seguios pois; e entoai com elles
o Cantico saudavel da Liberdade no-
Brazil=Viva a Constituiçaõ, eo Jus=
to Rei, que naõ contravira.

NEGOCIANTES DA BAHIA! Vós que sois o nervo do Estado; Vós sobre quem o despotismo tem mais pesado; e cujos interesses têm sido menos protegidos; que fazeis!!

Os vossos Irmãos, e associados da Europa têm aberto a estrada da glória.

Segui-os pois; e entoai com eles O Cântico saudável da Liberdade no Brasil — Viva a Constituição, e o Justo Rei, que não contravirá.[48]

[Início de 1821]

AHI — lata 195, maço 1, pasta 7.

---

48. Proclamação aos negociantes da Bahia, que mantinham ligações mais estreitas com Portugal do que com a Corte no Rio de Janeiro. Cf. Introdução.

Panfleto 7

Temos tanta requrença
De cobrarmos liberdade
Que os Arcos do noso Templo
Somem-se na Eternidade

Por tanto ó Selina. viçoza
Naõ te escuses Protettor
Naõ seponhas ser loucura .
Coatta o Barboro oppressor

Temos gentes,temos Armas
Temos dineiro e Valor
Temos hum sabio Marechal
Nosso am̃ e director

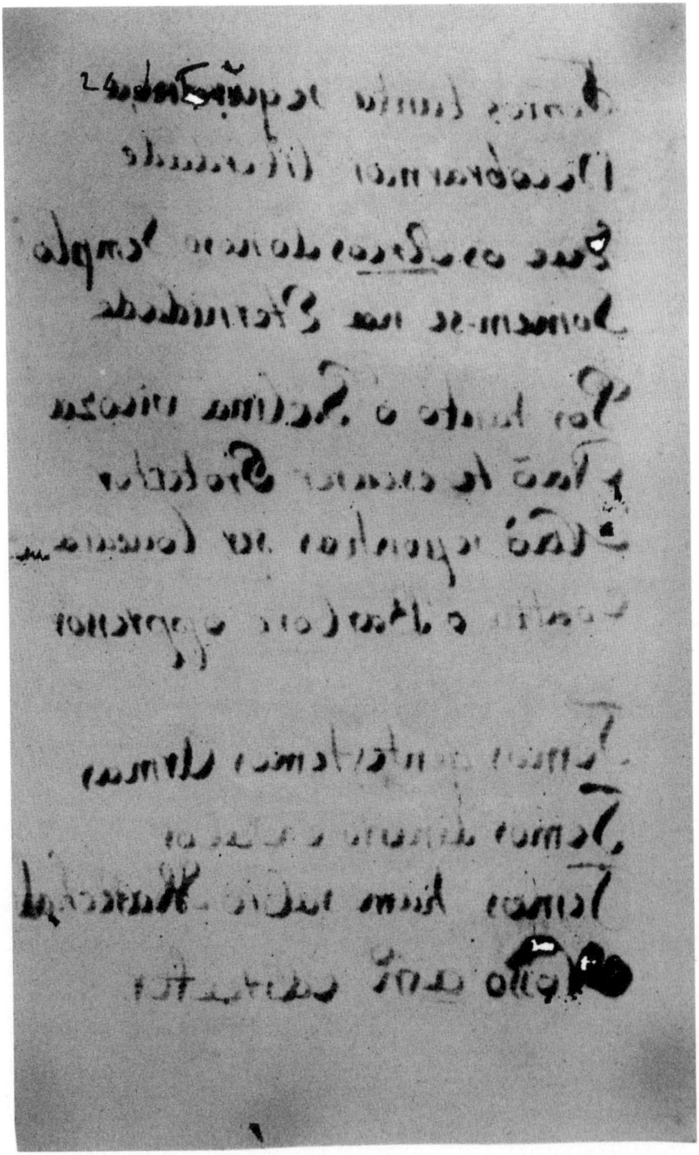

TEMOS TANTA SEGURANÇA
De cobrarmos liberdade
Que os Arcos[49] do nosso Templo
Somem-se na Eternidade

Portanto ó Palma[50] viçosa
Não te escuser [escuses] Protetor
Não seponhas [suponhas] ser loucura
Contra o Bárbaro opressor

49. Provavelmente é uma referência ao conde dos Arcos, d. Marcos de Noronha e Brito (1771-1828), que foi governador da Bahia entre 1810 e 1818.
50. Referência, talvez, ao conde da Palma, d. Francisco de Assis Mascarenhas (1779-1821), governador da Bahia (1818-21), quando eclodiu o movimento constitucional naquela capitania, em 10 de fevereiro de 1821. Abandonado pela força armada, decidiu ir à casa da Câmara e ceder à pressão do movimento, passando a propor à Câmara, com aprovação do povo e da tropa, as pessoas que deviam compor a junta provisória para governar a província da Bahia. Justificou sua atitude alegando a necessidade de evitar derramamento do sangue de seus fiéis vassalos.

Temos gentes, temos Armas
Temos dinheiro e valor
Temos um sábio Marechal[51]
Nosso amigo e diretor

24 de Fevereiro

24 fev. [1821]

AHI — lata 195, maço 6, pasta 13.

---

51. Marechal Felisberto Caldeira Brant Pontes (1772-1841), nascido em Mariana, Minas Gerais. Era rico proprietário do Recôncavo, onde possuía engenhos e escravos. Inspetor das tropas, aderiu inicialmente ao movimento constitucional da Bahia. Teve importante atuação política no Império do Brasil, sendo deputado pela Bahia na Constituinte de 1823. Obteve o título de marquês de Barbacena.

Panfleto 8

Bahia 1º de Março.   Ex.ᵐᵃ S.ʳ

O ministerio ou está vendido ao partido
revolucionario, ou está cego e surdo! Quem
ignora que esta Capitania tem estado a
poto de fazer huma revolução? eque
trabalha para hiço dia e noite? fala se
portoda aparte em revolução como
em huma coiza necessaria para fazer cesar a fome, e a falta dos pa-
gam, mas quem ignora que a revolução
está forjada ha mᵗᵒˢ annos contra o
Rei, e contra todos os Europeos? Per-

Exmo S.^r

nambuco jadeu huma boa mostra. O Maran-
nhaõ tem a m.^{tos} anos dado a entender as suas intençoes.　　Naõ nos persoadimos q̃
V. Ex.ª a prezente esta a S. Mag, nem
mesmo q̃ ella cirva para nada, mas
quizeramos q̃. V. Ex.ª mandase examinar emparticular por hum homem
honrrado, deses q̃ vieraõ ha-pouco para
o Brazil, isto sem intervençaõ do Carcunda, do Lage, ou dos otros Brazileiros revolucionarios q̃ attiv estaõ. e
q̃ logo avizaraõ, como estaõ fazendo,

deste modo V. Ex.ª conheseria q.
Felisbeto he o Cabesa da revolução, e q o Guvernador, como toto,
naõ sabe de nada, e fazem-se coizas
m.to violentas para fazer dezesperar
o povo: quando querem alguma coiza,
das suas maldades custumadas, con
vidaõ o Conde para h' ũ jantar,
e depois de estar borraxo, cōmo cus-
tuma, a cigna tudo quanto elles

querem, e zombaõ d'elle como de hũ
minino perdido. Esta vai pòr maõ,
pois de otro modo naõ chegaria a maõ de V.Ex.ª
porq̃ o corr.º he hum dos traidores. hum tal
Prodencio q̃. aqui ha. Vai otra para
ElRei, e V.Ex.ª. ficara responça-
vel, senaõ der providencias a tempo, a-
vizando a S. Mag.; e saiba q̃.
a Naçaõ ja descentia de V.Ex.ª

Bahia 1º de Março.

EXMO. SR.

O MINISTÉRIO, OU ESTÁ VENDIDO ao partido revolucionário, ou está cego e surdo! Quem ignora que esta Capitania tem estado a ponto de fazer uma revolução? e quem trabalha para isso dia e noite? fala-se por toda a parte em revolução como em uma coisa necessária para fazer cessar a fome, e a falta dos pagamentos, mas quem ignora que a revolução está forjada há muitos anos contra o Rei, e contra todos os Europeus? Pernambuco já deu uma boa mostra. O Maranhão tem a [sic] muitos anos dado a entender as suas intenções. Não nos persuadimos que V. Ex.ª apresente esta a S. Majestade, nem mesmo que ela sirva para nada, mas quiséramos que V. Ex.ª mandasse examinar em particular por um homem honrado, desses que vieram há pouco para o Brasil, isto sem intervenção do Carcunda,[52]

---

52. "Carcunda" era a palavra utilizada para designar, à época, aquele que era favorável ao governo absolutista.

do Lage,[53] ou dos outros Brasileiros revolucionários que aí estão. e que logo avisavam, como estão fazendo, deste modo V. Ex.ª conheceria que Felisberto[54] é o Cabeça da revolução, e que o Governador,[55] como tolo, não sabe de nada, e fazem-se coisas muito violentas para fazer desesperar o povo: quando querem alguma coisa, das suas maldades costumadas, convidam o Conde[56] para um jantar, e depois de estar borracho, como costuma, assina tudo quanto eles querem, e zombam dele como de um menino perdido. Esta vai por mão, pois de outro modo não chegaria à mão de V. Ex.ª porque o correio é um dos traidores, um tal Prodêncio que aqui há. Vai outra para El-Rei, e V. Ex.ª ficará responsável, se não der providências a tempo, avisando a S. Majestade; e saiba que a Nação já desconfia de V. Ex.ª.[57]

1º mar. [1821]

AHI — lata 195, maço 1, pasta 7.

53. João Vieira de Carvalho, marquês de Lages (1781-1847). Militar, nascido em Olivença, Portugal, veio para o Brasil em 1809. Foi várias vezes ministro da Guerra.
54. Felisberto Caldeira Brant Pontes, marquês de Barbacena. Ver nota 51.
55. Conde da Palma, d. Francisco de Assis Mascarenhas. Ver nota 50.
56. Conde da Palma.
57. Redigida depois da proclamação da Bahia ao movimento de Regeneração português, a carta apontava para um "partido" chamado à época de "felisbertino". Neste, encontravam-se a maior parte do clero e dos empregados públicos e os senhores de engenho. Era liderado por Felisberto Caldeira Brant Pontes. Cf. Introdução.

Panfleto 9

Copia   Proclamação

Bahianos infelizes Que desgraça he a nossa! Será possivel, que
estejamos assalmados! Que não possamos Seus offerecer dicis á nossa
Vontade? Acaso a Santa Constituencia Jurada tão Sinceramente jurada pode ser Causal da nossa triste Sorte? Não Será Cru-
vel, q abatidos, ou horrizados, não possamos em huma Provincia
tão generosa, digna de louvores, a clamar o Senhor D. Pedro de
Alcantara, q. Jy ventura nova Louvei ficar no Reino do Brazil! Não he Ella o Museu, aquem o Nome Adorado Rei o
Senhor D. João Sexto deixou neste novo Mundo Jy em seu
Lugar, e Rezar? E sendo esta Provincia tão Populosa soffrerá
em Silencio oq. não seria Capaz desoffer intempo do Gentio?
E será abandonada sem' fruyção pelos novos Vindeuros, com tanta ignorancia desonrado nossa? Não, Meus Patricios, Sei que
affrirudencia alourilhada, será recomendada tem Soffocado
os novos deseijados direitos, mas' o temos d'hum poder reassumido.
    A salvação do Povo he a Suprema Lei.   He chegada oc-
casião depstentearny os nossos Sentires. Seja o Dia a S.
Pedro (assinalado q. tantos Titulos) o Primeiro Apostolo Pon-
tifice da Igreja Catholica Romana: Aquelle, aq'm MJS Chri-
to Salvador do Mundo disse= Sobre esta Pedra edificarei em a
Igreja= o Grande Dia em q' Sôe nesta Provincia da N. e Tor-
vão da Nova Liberdade, e se dé oprimeiro impulso da N.ra
Vontade.   Brazilienses, Bom Brazilino a nossa amada
prevasse nos diz= Sobre esta Pedra Se ficarei o Meu Imperio do Brazil= e Povos Cheios de entuziasmo da Mais Alegria, e em Solida Virsão a aclamemos em altas Vozes=
    Viva o Senhor Rei D. João Septo, Viva S. A. R. o Se-
nhor Principe D. Pedro d'Alcantara Salvador Defensor Pro-
tector Regente do Reino do Brasil Viva a Snr.ra Princeza de
Brasil Viva a Dynastia da Casa d'Bragança Viva a Cons-
titucão Viva o Reino Luzo Brazileiro Viva a Digna Junta
de Governo, Vivão todos os Bons Habitantes da grande Provincia
da Bahia, Vivão os defensores da Villa de São Fr.co de Se-
gijudelonde.
            Portumn Brasilianos

PROCLAMAÇÃO

Baianos infelizes, que desgraça é a nossa! Será possível, que estejamos assassinados! Que não possamos sem ofensa dizer a nossa vontade? Acaso a Santa Constituição por nós tão sinceramente jurada pode ser causal da nossa triste sorte? Não. E será crível que abatidos, ou horrizados [horrorizados], não possamos em uma Província tão generosa, e digna de louvores, aclamar o Senhor D. Pedro d'Alcântara, que por ventura nossa conveio ficar no Reino do Brasil? Não é Ele o Mesmo a quem o Nosso Adorado Rei o Senhor D. João Sexto deixou neste novo Mundo, para em seu lugar o reger? E sendo esta Província tão Populosa, sofrerá em Silêncio, o que não seria capaz de sofrer no tempo dos Gentios? E será acreditada semelhante frouxidão pelos nossos vindouros, com tanta ignomínia, e desonra nossa? Não, Meus Patrícios, sei que a prudência aconselhada, muito recomendada, tem sufocado os nossos desejados direitos, e não o temor de um poder reassumido. A Salvação do Povo é a Suprema Lei. É chegada a ocasião de patentearmos os nossos Sentimentos. Seja o Dia de S. Pedro (assinalado por tantos Títulos) o Primeiro Apóstolo Pontífice da Igreja Católica Romana: Aquele a quem Jesus Cristo Salvador do Mundo disse — E sobre esta Pedra edificarei minha Igreja[58] — o Grande Dia, em que soe nesta Província da Bahia, o Torrão da Nossa Liberdade, e se dê o primeiro impulso da Nossa Vontade. Brasilienses, e Bons Brasileiros, o nosso amado Príncipe nos diz — E sobre esta Pedra edificarei o Meu Império do Brasil — E nós Cheios do entusiasmo da Maior Alegria, e em sólida união aclamemos em altas vozes — Viva o Senhor Rei D. João Sexto, Viva S. A. R. o Senhor Príncipe D. Pedro d'Alcântara Salvador Defensor, Protetor Regente do Reino do Brasil, Viva a Sra. Princesa do Brasil, Viva a Dinastia da Casa de Bragança, Viva a Constituição, Viva o Reino Luso-Brasílico, Viva a Digna Junta de Governo, Vivam todos os Bons Habitantes da Grande Província da Bahia, Vivam os do Termo da Vila de São Francisco de Sergipe do Conde.[59]

Por um Brasiliano

[Meados de 1822]

AHI — lata 195, maço 1, pasta 7.

58. Na vila de Cachoeira, onde a autoridade do príncipe regente d. Pedro já havia sido reconhecida pelo Termo de Vereação de 25 de junho de 1822, foi celebrado um *Te-Deum*, em que, no sermão patriótico do vigário Francisco Gomes dos Santos e Almeida, havia também referências às palavras do Evangelho: "Tu és Pedro e sobre esta pedra edificarei minha Igreja", em uma alusão a d. Pedro, que edificaria um novo Império no Brasil.
59. O panfleto já faz referência ao Império do Brasil, pois foi, provavelmente, escrito em meados de 1822, ao longo da luta civil que ocorreu na Bahia. De um lado, Salvador ligada a Portugal e, de outro, as vilas do Recôncavo baiano, que começavam a se declarar favoráveis ao governo único no Brasil sob a chefia de d. Pedro. Estes últimos continuavam, contudo, a dar vivas a d. João VI.

Panfleto 10

Lembranças do estado d[a] Bahia té 2 de 7bro 1822

A Cidade com o Reconcavo incomunicavel, em mayor auge de anarquia; e todos os dias aparecem novd.s reparte ap... te sito no do...
contra ag. e B.co   Terra que já proclamarão S. M. Bo. São
ba..., S.to Amaro, Rio de S.t Fran.co Maragogipe, Jaguaripé,
Jiquiricá, Moros de S. Paulo, Valença, Cairú, Boipeba
e Maratui, Santarem, Rio de Contas —

                    Terra que faltarão Sanhado, mais por terem provas
de ... p.r ... do Reconcavo do Prot. e Br.
Pelo Sul — Camamú, Ilheos, Camillos, S. Matheus
Pelo Norte — Cotingueiba, Rio Real —

          Embarcaçoens, padrão no Cruzeir da B.ca
Cruzeta do Fevereiro 16 — Mercante Neve em .....
d.Guer D.ª Regeneraçao — 18 Peças   d.º   D.º p.a Dom —
        D. Calipso — 18 d.º   d.º   D. p.a Quatro
        Br.c Audaz — 18 d.º   D. ... D. Matarucao
        Br.c Promptid — 14 d.º   E.br São Navio assim seachao
                                          em rigor, e chegarão de L.ºa
                                          26 e D estavao p.a sahir —

J Levantagen queria fazer no dia 24 de ett.o contra ella fugir Jun-
te, e dos os Brasileiros Q se achao n'alli.
O sugeu que offerece ao troço —
O Ten Coronel 2º Batalhao Luzitano; = o Peixoto se ... o que agora
aclama General dos Armas, p.r vir que el ... há ...
... o qual tem medo de hir atacar o reconcavo —

LEMBRANÇAS DO ESTADO DA BAHIA DE 2 DE SETEMBRO 1822

A Cidade com o Recôncavo incomunicável, e no maior auge de anarquia; e todos os dias aparecem novidades de parte a parte, isto é da Cidade contra aquele e etc. [?]

Terras que já proclamaram S. A. R.

Cachoeira, Santo Amaro, Rio de São Francisco, Maragogipe, Jagoaripe [Jaguaribe], Tiquiriçá, Morro de São Paulo, Valença, Cairú, Boipeba, Marahú, Santarem, Rio de Contas —

Terras que faltavam Proclamar, mas que haviam [sic] provas de o fazerem pela totalidade do Recôncavo da Província da Bahia

Pelo Sul — Camamú, Ilhéus, Caravelas, São Mateus,

Pelo Norte — Cotinguiba, Rio Real —

Embarcações que se acham no cruzeiro da Bahia[60]

---

60. Trata-se de embarcações portuguesas. Segundo Américo Jacobina Lacombe, a esquadra portuguesa compunha-se de treze navios, entre naus, fragatas, corvetas e sumacas. A corveta *10 de Fevereiro* teria 26 peças; a *Regeneração*, 26; a *Calipso*, 22; a *São Gualter*, vinte; a *Restauração*, 26; o brigue *Audaz*, vinte; a sumaca *Conceição*, oito. Os últimos quatro teriam sido adaptados para a guerra.

de Guerra	Marcante [Mercante]
Corveta *10 de Fevereiro* 16 —	Navio *Conceição*
Dita *Regeneração* — 18 Peças	Dito *São Domingos* —
Dita *Calipso* — 18 ditas	Dito *Senhor Gualter* —
Brigue *Audaz* — 18 ditas	Dito *Restauração*
Brigue *Prontidão* — 14 ditas	Estes navios acima se
	acham carregados, e
	chegaram de Lisboa
	2 e 2 estavam para sair

O levante que queriam fazer no dia 24 de Agosto contra Madeira e a Junta, todos os Brasileiros que se acham na Cidade
os aqui que oferecendo as tropas —
o Tenente-Coronel do Batalhão Lusitano, — o Ruivo[61] — é o que querem aclamar General das Armas, porque dizem que o Madeira é frouxo e que tem medo de ir atacar o Recôncavo —

2 set. 1822

AHI — lata 195, maço 1, pasta 5.

Citado em Luís Henrique Dias Tavares, op. cit., p. 189. Segundo o almirante Hélio Leôncio Martins, a frota brasileira comandada pelo almirante Cochrane compunha-se também de treze unidades, entre naus, fragatas, corvetas, brigues e escunas. Ver Hélio Leôncio Martins, *Almirante Lorde Cochrane: uma figura polêmica*. Rio de Janeiro: Clube Naval/Arpepp, 1997, p. 84.

61. Era o tenente-coronel Vitorino José de Almeida Serrão. Os comerciantes, que constituíam a ala mais radical do partido português, acreditavam que Madeira de Melo não se revelava o chefe audaz e resoluto que eles precisavam ter, acusando-o de incapacidade e de fraqueza. Cf. Braz do Amaral, op. cit., pp. 241-2.

Panfleto 11

2-9-1822

Instrucçoens, que os Brazileiros da Bahia, e bons Europeus amantes da sua cauza, dezejão que S. A. R. saiba, para providenciar quanto antes, à bem dos seus amantes, filhos do Brazil e da — Bahia —

Triviza á Bahia primo que tudo, hum Bloqueio que faca fugir o que se acha nella Cruzando, ás ordens do Prezidoa e de Negociantes, Maiores —

6.000 Armas e 50 Pessas de Artilharia manuals

Chefes para Comandar a muita gente que tem em armas em todos os pontos das imbocaduras da Cidade, aonde se achão artilhor de 10 mil homens —

Todo o Reconcavo da Bahia, digo sus habitantes, criarás de bradi patriotismo, e valtão com a Chegada do Decreto de S. A. R., e o cerco á Cide he ou tais evacto e bem ordenado posivel. A Tropa ou inimigos da Bahia, so tem por si a barra, e Nossa legoa e da conta da Cide, dado a barra he Itapagipe, tudo o mais está fortificado, e tomado pelos bons Brazileiros, que todos os momentos dezejão entrar na Cide e fas-se necesario por iso? S. A. R. Proclamará aquelles Bahianos, chevando os seus patriotismos. &c

He o que deve fazer a deligencia de ver se fala a S. A, pa lhe dizer o que asima lhe esplicado, e isto em nome dos Bahianos, e dos Europeos honrrados, da Bahia, pois he a opinião geral, e o quanto he bastante.

Relatará tudo o que tem prezenciado, e sabido nesta e com especificação tudo, principalmte o trama do dia 24 de Febro do corrente anno.

INSTRUÇÕES, QUE OS BRASILEIROS DA BAHIA, e bons Europeus amantes da sua Causa, desejam que S. A. R. saiba, para providenciar quanto antes, a bem dos seus amantes filhos do Brasil e da — Bahia —

Precisa à Bahia primeiro que tudo, um Bloqueio que faça fugir o que se acha nela cruzando, as ordens do Madeira, e de Negociantes e Caixeiros —

6000 Armas e 50 Peças de Artilharia maneira

Chefes para comandar a muita gente que tem em armas em todos os pontos das embocaduras da Cidade, aonde se acham o melhor de 10 mil homens —

Todo o Recôncavo da Bahia, digo seus habitantes, criaram dobrado patriotismo, e valor com a chegada do Decreto de S. A.

R.,[62] e o cerco da Cidade é o mais exato e bem ordenado possível. A Tropa e os inimigos da Bahia, só têm por si a barra e só 1/2 légua de costa da Cidade, desde a barra até Itapagipe, tudo a mais está fortificado, e tomado pelos bons Brasileiros, que todos os momentos desejam entrar na Cidade e faz-se necessário por isso que S. A. R. Proclame a aqueles Baianos, louvando os seus patriotismo [sic]. Etc.

É o que deve fazer a diligência de ver se fala a S. A., para lhe dizer o que acima há explicado, e isto em nome dos Baianos, e dos Europeus honrados da Bahia —, pois é a opinião geral, e o quanto é bastante.

Relatará tudo, que tem presenciado e sabido nesta e com especificação tudo, principalmente a trama do dia 24 de Agosto do corrente ano.[63]

[1822]

AHI — lata 195, maço 1, pasta 5.

62. Decreto de 16 de fevereiro de 1822. Cf. Cronologia.
63. Levante que se preparava entre os comerciantes baianos contra Madeira de Melo, pretendendo substituí-lo por um militar mais arrojado.

Panfleto 12

9-5-1823.

(Copia)

Ignacio Luis Madeira de Mello, Brigadeiro do Exercito Portuguez do Reino Unido de Portugal, Brazil e Algarves, e Governador das Armas da Provincia da Bahia por Sua Magestade Fidellissima, El Rey o Senhor D. João 6º &c.

Faço saber, que estando, como está esta Provincia Revolucionada, a ponto de se orar a Cidade, (unico lugar que se conserva fiel) em hum perfeito estado de sitio, a que tem reduzido os rebeldes chegados as suas extremidades, por mar, e terra e convindo por conseguinte aos interesses, e bem da Nação lançar mão dos meios proprios, e adequados para salvar a mesma Cidade, e fazer voltar á ordem todos os lugares insurgidos e tendo outro sim em vista as instruçoens, que por Sua Magestade, El Rey o Senhor D. João 6º me forão dirigidas em data de 12 de Fevereiro ultimo, em que me confere amplos, e extensivos poderes: e o que foi unanimemente a este respeito accordado no Conselho Militar, que fiz na data de hontem, reunir em minha presença, declaro e hei por declarada esta mesma Cidade como Praça de Guerra bloqueada, e Citiada como com effeito está; e que por tanto me ficão compettindo d'esta data em diante todos os poderes, que as Leys nas actuaes circumstancias me concedem, bem como todas as attribuiçoens das — o instruçoens supra ditas. E para que o referido chegue a noticia de todos e ninguem possa allegar ignorancia este se publicará a som de Caixas

pelas

pelas ruas e praças publicas d'esta Cidade. — Joze Affonça
Vianna o fez na Bahia em o Quartel General aos
9 de Maio de 1823 — e eu Joze Botelho de Araujo
Official Maior que servo de Secretaria do Governo das
Armas o fiz escrever. — Ignacio Luis Madeira de Mello
Estava o Sello Real. —

9-5-1823

IGNACIO LUIS MADEIRA DE MELLO, Brigadeiro do Exército Português do Reino Unido de Portugal, Brasil e Algarves, e Governador das Armas da Província da Bahia por Sua Majestade Fidelíssima, El Rei Senhor D. João 6º etc.

Faço saber, que estando, como está esta Província revolucionada, a ponto de se achar a Cidade, (único lugar que se conserva fiel) em um perfeito estado de sítio, a que [a] têm reduzido os rebeldes, chegados às suas extremidades, por mar, e terra e convindo por conseguinte aos interesses, e bem da Nação lançar mão dos meios próprios, e adequados para salvar a mesma Cidade, e fazer voltar à ordem todos os lugares insurgidos, e tendo outrossim em vista as instruções, que por Sua Majestade, El Rei o Senhor D. João 6º me foram dirigidas em data de 12 de Fevereiro último em que me confere amplos, e extensivos poderes, e o que foi unanimemente a este respeito acordado no Conselho Militar, que fiz na data de ontem reunir em minha presença, declaro e hei por declarado esta mesma Cidade como Praça de Guerra bloqueada, e sitiada como com efeito está, e que portanto me ficam competindo d'esta data em diante todos os poderes, que as Leis nas atuais circunstâncias me concedem, bem como todas as atribuições das instruções supra ditas. E para que o referido chegue à notícia de todos e ninguém possa alegar ignorância este se publicará a Som de Caixas pelas ruas e praças públicas desta Cidade. — Joze Affonça Vianna o fez na Bahia em o Quartel General aos 9 de Maio de 1823. — E eu Joze Botelho de Araujo Oficial Maior que sirvo de Secretário do Governo das Armas o fiz escrever. — Ignacio Luis Madeira de Mello. Estava o Selo Real. —

9 maio 1823

AHI — lata 195, maço 1, pasta 6.

Panfleto 13

Inspector Tilisberto Caldra

Ajud.e Malaquias
de Ordens Tilisberto Gomes

Pedro Loiz Bandeira

Alexandre gomes Ferrão

Borges naturalista

Medicos { Dor Lino
{ Dor França

O Boticario Ladislão

O Brigadeiro Bocaixar

escudrim.to Filepe Bocaixar

Manoel Joze di Mello

O Vigario de S.ta Roma, e rua do passo, e S. Ped.r

Hemogenes Fran.co de Aguiar

P.e Ignacio

Joze Ant.o Machado e seus Irmaos

O Castigião Março

O Baratinha Escrivão

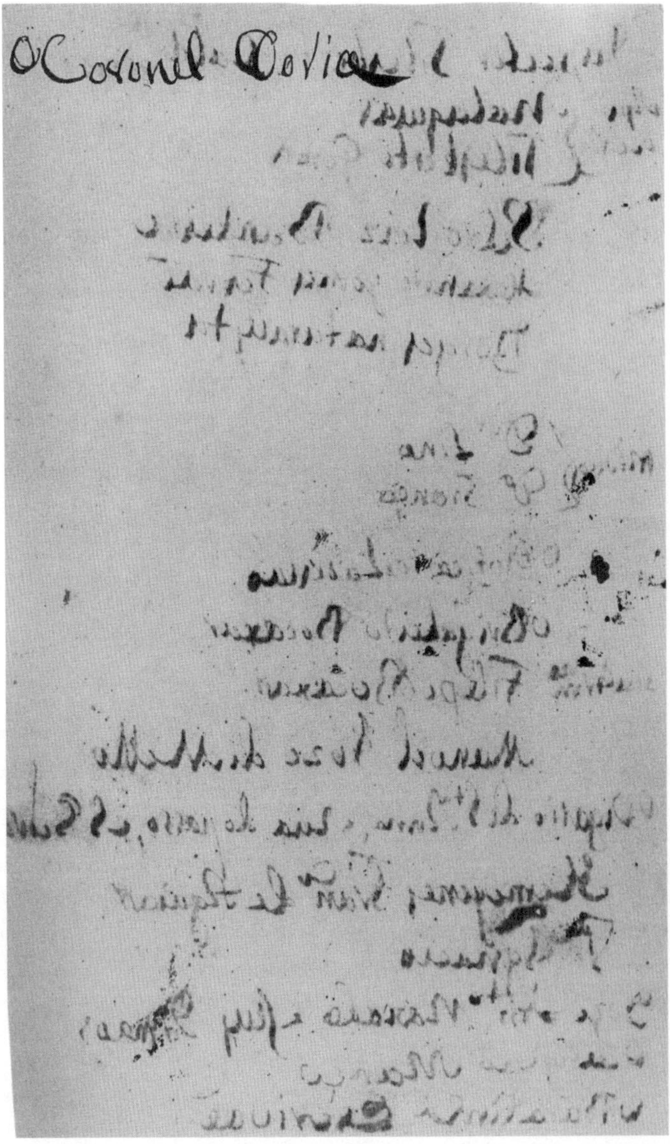
O Coronel

INSPETOR FELISBERTO CALDEIRA[64]

Ajudantes { Malaquias
de Ordens { Felisberto Gomes[65]

Pedro Rodrigues Bandeira[66]

64. Felisberto Caldeira Brant Pontes era marechal e inspetor das tropas. Cf. nota 51.
65. Felisberto Gomes Caldeira (1786-1824). Militar, nascido em Serro, Minas Gerais, atuou na Guerra de Independência na Bahia, como comandante do Exército Pacificador em Cachoeira. Foi assassinado por soldados rebelados, em sua residência, em Salvador, quando enviou o Batalhão dos Periquitos para conter a Confederação do Equador. Era primo de Felisberto Caldeira Brant Pontes.
66. Pedro Rodrigues Bandeira (1767-1835). Natural de Salvador, Bahia, era abastado negociante (exportador de fumo enfardado e enrolado) e proprietário de vários engenhos de açúcar na vila de Cachoeira. Importou da Inglaterra (1818-9) duas máquinas a vapor para dinamizar a moagem de cana em seus engenhos. Foi eleito deputado pela Bahia para as Cortes de Lisboa em 1821, sendo suplente de deputado na Assembleia Geral do Império na Legislatura de 1826 a 1829.

Alexandre Gomes Ferrão[67]
Borges naturalista[68]
Médicos { Doutor Lino[69]
{ Doutor França[70]
O Boticário Ladisláo[71]

67. Alexandre Gomes Ferrão [Castelo Branco] (1781-1826). Natural da vila de São Francisco de Sergipe do Conde, Bahia. Foi proprietário de terras e vereador do Senado da Câmara da cidade de Salvador. Eleito deputado pela Bahia às Cortes de Lisboa, em 1821, foi ainda suplente de deputado na Assembleia Geral do Império na legislatura de 1826.

68. Domingos Borges de Barros (1780-1855). Nascido na Bahia, era descendente de uma família nobre e abastada, sendo batizado em fevereiro de 1780, na capela do engenho de seu pai. Cursou direito na Universidade de Coimbra e, em 1812, foi nomeado diretor do Jardim Botânico da Bahia. Era dono de engenho. Foi eleito deputado às Cortes de Lisboa, representando a Bahia, em 1821. Sua carreira política prosseguiu ao longo do Primeiro Reinado, sendo nomeado representante do Brasil na França, em 1823, com o objetivo de obter o reconhecimento não só da independência, como também da dinastia reinante no Império do Brasil. Foi senador do Império em 1826. Foi o pai da condessa de Barral.

69. José Lino Coutinho (1784-1836). Nascido em Salvador, na Bahia, concluiu o curso de medicina em Coimbra. Foi um dos membros da junta provincial da Bahia em 1821, quando foi eleito deputado pela mesma província às Cortes de Lisboa. Foi um dos deputados brasileiros que saiu secretamente de Lisboa para Falmouth, Inglaterra, fugindo das ameaças dos portugueses. Mais tarde, foi eleito deputado para a Assembleia Geral do Império em diversas legislaturas (1826, 1830 e 1833). Foi grande opositor do governo de Pedro I. Foi ministro do império do Primeiro Gabinete da Regência Trina Permanente.

70. Antonio Ferreira da França (1771-1848). Nascido em Salvador, estudou medicina, matemática e filosofia em Coimbra. Grande orador, foi representante da Bahia na Assembleia Constituinte de 1823 e nas três primeiras legislaturas da Câmara dos Deputados, onde ficou conhecido por suas ideias radicais (republicanas e abolicionistas).

71. Boticário Ladislau de Figueiredo. Baiano, em cuja casa, no final do século XVIII, reuniam-se figuras importantes como Francisco Agostinho Gomes, Hermógenes Francisco de Aguiar Pantoja, Cipriano Barata e Francisco Moniz Barreto para trocar livros, comentar notícias sobre a França revolucionária e conversar.

O Brigadeiro Bocaxar[72]
seu Irmão Felipe Bocaxar [Bocaciari]
Manoel Joze de Mello[73]
O Vigário de Santa Anna, e Lua do Passo, e São Pedro[74]
Hermógenes Francisco de Aguiar[75]
Padre Ignacio
Joze Antonio Machado e seus Irmãos
O Curigião [Cirurgião] Março
O Baratinha Escrivão[76]

72. José Tomaz Bocaciari. Militar, foi elevado ao posto de brigadeiro efetivo em maio de 1819. Exercia as funções de ajudante de ordens do governador da Bahia, em 1821. Adepto da causa do Brasil, possuía opinião contrária à primeira junta provisória da província, que desejava a união da mesma com as Cortes de Lisboa. Envolvido nos acontecimentos de 3 de novembro de 1821 (ver Cronologia), foi preso e remetido para Lisboa como desterrado. Faleceu pouco tempo depois. Sua viúva, d. Carlota Joaquina da Silva Bocaciari, requereu a pensão de meio soldo, tendo d. Pedro i atendido ao pedido por decreto de 22 de dezembro de 1823, "em atenção à miséria a que foi reduzida aquela viúva pelo falecimento de seu marido, sacrificado à causa do Brasil".
73. Manuel José de Melo. Baiano, foi tesoureiro geral da junta da Real Fazenda da província da Bahia.
74. Lourenço da Silva Magalhães Cardoso. Vigário da paróquia de São Pedro, que, segundo a junta provisória do Governo da Bahia, se transportara para a vila de Cachoeira a fim de aí fomentar revoluções.
75. Major Hermógenes Francisco de Aguiar Pantoja. Envolvido na Conjuração Baiana e na Revolta de 1817, morreu no único confronto que ocorreu em 10 de fevereiro de 1821, ao se posicionar contra os que favoreciam o movimento de adesão da Bahia às Cortes de Lisboa.
76. Joaquim José Barata de Almeida. Escrivão da ouvidoria do Crime da Comarca da Bahia, irmão de Cipriano José Barata de Alemida. Joaquim José processou dois desembargadores — Antonio Gabriel Henrique Passos e Agostinho Petra de Bittencourt. Quando o processo chegou ao Desembargo do Paço, na Corte, ele passou da condição de acusador para a de caluniador de ministros (desembargadores). Foi preso e enviado para Fernando de Noronha, depois recolhido no forte do Mar e, dali, transferido para o forte de São Pedro, onde adoeceu. Tiraram-no do forte e o embarcaram novamente para Recife, e do Recife para

O Coronel Dorico[77]

[Data não identificada]

AHI — lata 195, maço 6, pasta 13.

Fernando de Noronha, onde morreu. Segundo Cipriano, sua morte foi conse-
quência das viagens, moléstias, trabalhos e desgostos. A prisão aconteceu quando Cipriano estava nas Cortes de Lisboa.

77. Não foi possível identificar os outros personagens.

Panfleto 14

Meu Am.º se VEx.ª he amante do
melhor dos Soberanos como creio
veja com tristeza como por cá lhe
fazem a podre estes brejeiros pa
tentiando os seus sentim.tos a
the aos Negros q̃ soberem ler.
e assim principiou a de Pernanbu
co. e D's queira q̃ do mesmo modo
acabe e daqui o q̃ não me pare..
e pela audacia do vanni-
nho deiq he capatas o mais ri
ce dos Inspectores = A D's

P S
foi a rança
do a 20 de
Junho

No fiel am̃ dos
amigos e de El Rei

MEU AMIGO se V Eª [Vossa Excelência] é amante do melhor dos Soberanos como creio veja com tristeza como por cá Desfazem o poder estes brejeiros patenteando os seus sentimentos até aos Negros que souberem ler: assim principiou a de Pernambuco e Deus queira que do mesmo modo acabe a daqui o que não me parece pela audácia do ranchinho de que é capataz o mais rico dos Inspetores — A Deus [adeus]

Do fiel amigo dos amigos e de El-Rei

PS foi arrancado a 20 de Fevereiro.

[Data não identificada]

AHI — lata 195, maço 6, pasta 13.

PARTE II

RIO DE JANEIRO

Panfleto 15

Americanas, ... fim de tempo de .... termo avros
se demasiado soffrimento, e toleramos, q̃ nos governa, e q̃ termina
... amamos, deludido por perfidos conselheiros, q̃ só desejão
atuctal ruina do Estado, do Trono, apezar da vontade ge
ral da Nação, tão manifesta mente declarada em Portugal
em Bahia pellos heroicos feitos, q̃ nos são conhecidos, e
em todas as mais partes do Brasil pellos.......
bors, procurão abertamente, usando de ....
de, lançar nos novos grilhoens: disto tendo hum prova e
vidente no Decreto, que acaba de apparecer, cuja leitura
basta, para se conhecer, quanto empenha na curação dos
Mandeny .... abominavel ....
.... com providencias ....
.... soberania a Nação, querendo ....
.... sua grave formarem a Constituição e
leis, que nos devem reger, nos igual mente ....
este feito, para diminuirem a nossa ....
esperamos da Mays Patria, q̃ tanto amamos, e a quem cada vez
.... e estar unidos. He pais tempo ....
valoroso .... moços as Armas, seguindo ....

exemplo de nossos Irmãos os Bahios adquirão a nossa liberdade. Lançando de nós os ferros, com que nos quisérão manietar; declarando alta mente, ser aquella soberania, q'
só he inerente, e propria de huma Nação Livre, q' nos, que
somos outra Constituição, se não a de Portugal, q' deve abra-
çar todo o Reino Unido, e que a Nação já resumio, em si o que
deu soberania, ha quem diser Mayor para quebrar os seus
senhores preços, he q' em diser Mayor, pella maneira a que
tenha em Portugal os deputados. q' sem q'unda de tempos, de
vem, ser inviados para formarem parte da corte Constituci-
nal, emtão tratarem da legislação, q' deve ser particular da
te Reino Unido do Brasil.

Eia Valerosos Portugueses Europeos, e Americanos. q' somos
huma Nação, temos os mesmos interesses, sustentemos com as
armas na mão, já q' não ha outro remedio, os nossos direitos,
defendamos os nossos liberdades, q' de todo nos querem a gritto
os ... sordidos, vennes conselheiros, q' devem dos prover
de seu da terra para mais nos contaminarem, com seu dito
sar q' myuiudos.

Viva ElRey, viva a Constituição, morrão todos aquelles
q' se opuserem aos verdadeiros interesses da Nação

AMERICANOS, E EUROPEUS. enfim é tempo de pôr termo a nosso demasiado sofrimento, o soberano, que nos governa, e que ternamente amamos, iludido por pérfidos conselheiros, que só desejam a total ruína do Estado, e do Trono, apesar da vontade geral da Nação tão manifestamente declarada em Portugal na Bahia pelos heroicos fastos, que vos são conhecidos, e em todas as mais partes do Brasil pelos rumores populares procuram ilusoriamente [?], usando do engano, e das fraudes, lançar-nos novos grilhões: disto tendes uma prova evidente no Decreto,[78] que acaba de aparecer, cuja leitura basta, para se conhecer, o quanto impera no coração destes Mandões o infame, e abominável despotismo, e que para o sustentarem, com providências capciosas, e palavras enganadoras, não só negam a soberania à Nação, querendo fazer uma

78. Trata-se de decreto de d. João VI publicado em 23 de fevereiro de 1821, que criava uma comissão do Conselho Real, cujos membros deveriam começar a verificar as reformas necessárias para tratar das leis constitucionais, que se discutiam em Lisboa, e adaptá-las à realidade do reino do Brasil e demais ilhas e domínios ultramarinos. Cf. Cronologia.

quinta de Escravos seus para formarem a Constituição e Lei, que nos devem reger, mas igualmente pretendem com este fato, para diminuírem a nossa representação, poder, separar-nos da Mãe Pátria, que tanto amamos, e a quem cada vez mais desejamos estar unidos. É pois tempo cidadãos honrados, e valerosa Tropa, de lançar mãos às Armas, seguindo o heroico exemplo de nossos irmãos da Bahia segurar a nossa Liberdade, lançando de nós os ferros, com que nos querem manietar; declarando altamente, e com aquela soberania, que só é inerente e própria de uma Nação livre, que não queremos outra Constituição, se não a de Portugal, que deve abranger todo o Reino Unido, e que a Nação, que reassumiu, em si o poder soberânico para quebrar os seus vergonhosos ferros, é quem deve eleger, pela maneira adotada em Portugal os deputados, que sem perda de tempo, devem, ser enviados para formarem parte das cortes constitucionais, e nelas tratarem da Legislação, que deve ser particular deste Reino Unido do Brasil.

Eia valerosos Portugueses Europeus, e Americanos, que somos a mesma Nação, e temos os mesmos interesses, sustentemos com as armas na mão, já que não há outro remédio, os nossos direitos, e defendamos as nossas Liberdades, que de todo nos querem agrilhoar, pois vis, sórdidos, venais conselheiros, que devem desaparecer da face da terra para mais não contaminarem, com o seu hálito o ar que respiramos.

Viva El Rei, viva a constituição, e morram todos aqueles que se opuserem aos verdadeiros interesses da Nação.

[Início de 1821]

AHI — lata 195, maço 1, pasta 7.

Panfleto 16

Habitantes do Rio de Janeiro, caros Patrícios, serimos sempre incansáveis a vossos, e exemplo heroico dos Imos Baianos não nos apalará a deliberação de seguir a flora do Deputismo, e deixaremos deliberações calsas nos pelos Tiranos inimigos da ordem e da justiça: e ahi não seis Depois illudir c'hellas pregações, se flete e seu odioso Decreto contem o mais forte dos vencem, e dos maior dos Divinos males. Não se falava da separação de Portugal até os Tiranos já não podem terem o seu ejoço; porem observai na quele o comar do seu perfídia com intuito e tererão os Soranos de Lão de 24 de Setembro de anos tão já publicarão o chamamto de Cortes formadas c'Ellas e cuja commissão preparatoria hira da sua só escolha sem alteração no Ministerio, sem a menor reforma; suyeita aos mmos Deputas: querem os Malvados q' es+ peremos huma Constituição c'Ellas feita, e q' não sendo o seu chamamto nem conforme às Leis da Monarchia Portugue- za, de q' fazemos parte, nem conforme as q' em Portugal se obra; bem deixa ver aos fins aq' se dirige. E serão precizas re- flecções p.ª provar toda o dólo q' com nosco se obra? e ahi não este odiozo Decreto obra do mmo auctor da 1ª Proclamação; basta p.ª convencer de tudo. Eia pois Patrícios o tempo he es- te, ráia em nosso Oriente a Estrella da Liberdade regu- da p Leis sabias, desterrem-se d'entre nós os Tiranos, os Militares desta Corte nos prometem e jurarão os seus serviços q' d'elles esigir-mos, e os bravos de Portugal deixarão de ser o q' sempre forão? verão a sangue frio cavar a ruina da nos- sa Cara Patria de q' fazem aguarda? não estreitarão os laços de Portugal e Brazil c' hum serviço de cuja falta já

Tem q' dar conta a seus companheiros: Eia pois amados
Patricios as Armas a volver contra os Tiranos sejamos
Constitucionaes, porém seja a nossa Constituição a das Cortes
gaes modificada p' nossos Deputados, senão aq' q' os Tiranos
nos querem preparar, aq' d'infelizes nos tornarão escravos
unamonos á causa comum, envergonhados da demora,
acaba intrigas espargidos, todos somos Portuguezes, todos
devemos gostar de nossos Corações. Viva a Constituição q' fizerem as Cortes de Portugal modificada p' sua
por Deputados aos mes.mos Cortes, Viva ElRey o m.to
Amado Snr' D. Joao 6.º a sua Dinas-
tia, e a nossa Sta Religião.

HABITANTES DO RIO DE JANEIRO, Caros Patrícios, seremos sempre insensíveis a nossos [sic]? o exemplo heroico dos bravos Baianos não nos excitará à deliberação de romper os ferros do Despotismo? deixaremos deliberadamente calcar-nos pelos Tiranos inimigos da ordem e da justiça? ah! não vos deixeis iludir por essas pregações; refleti que esse odioso decreto[79] contém o mais forte dos venenos, e declara o maior de nossos males. Não vos falarei da separação de Portugal a quem os Tiranos já não podem tornar a seu jugo; porém observai naquele documento da sua perfídia o mesmo intuito que tiveram os Tiranos de Lisboa no 1 de Setembro do ano p. p.[80] quando publicaram o chamamento de Cortes formadas por eles; e cuja comissão preparatória era da sua só escolha sem alteração no Ministério, sem a menor reforma; sujeitos

79. Conferir nota 78.
80. Em 1º de setembro de 1820, a junta provisional do Governo Supremo do Reino decidiu convocar Cortes, mandando constituir uma comissão preparatória. Tratava-se de se antecipar aos revoltosos liberais e elaborar uma carta constitucional, e não uma Constituição que emanasse dos representantes do povo.

aos mesmos Déspotas: querem os Malvados que esperemos uma Constituição por eles feita, e que não sendo o seu chamamento nem conforme às Leis da Monarquia Portuguesa de que fazemos parte, nem conforme ao que em Portugal se obra; bem deixa ver aos fins a que se dirige. E serão precisas reflexões para provar todo o dolo que conosco se obra? ah! não, este odioso Decreto obra do mesmo autor daquela Proclamação; basta para convencer de tudo. Eia pois Patrícios o tempo é este, raia em nosso Horizonte a Estrela da Liberdade regrada por Leis sábias, desterrem-se de entre nós os Tiranos, os Militares desta corte nos prometem por juramentos os seus serviços quando deles exigirmos e os bravos de Portugal deixarão de ser o que sempre foram? verão a sangue-frio cavar a ruína da nossa Cara Pátria de que fazem a guarda? não estreitarão os laços de Portugal e Brasil por um serviço de cuja falta já têm que dar conta a seus companheiros? Eia pois amados Patrícios as Armas se voltem contra os Tiranos sejamos Constitucionais, porém seja a nossa Constituição a de Portugal modificada por nossos Deputados, e não aquela que os Tiranos nos querem preparar, e que de infelizes nos tornarão escravos, unamos à causa comum, envergonhados da demora; cessem intrigas e partidos, todos somos Portugueses, todos devemos gritar de nossos Corações Viva a Constituição que fizerem as Cortes de Portugal modificada por nossos Deputados nas mesmas Cortes, Viva El Rei o muito Amado Sr. D. João 6º, a sua Dinastia, e a nossa Santa Religião.

[Fev. 1821]

AHI — lata 195, maço 6, pasta 2.

Panfleto 17

As Armas Cidáos He Tempo As Armas

Ne hum momento mais, perder deveis

Se á força da Razão os Reÿs não sedem

Das Armas ao Poder sedão os Reÿs.

As Armas Cidaõs He Tempo As Armais

E nii mo euto ... perder deuais

Se a Força da Razão os Reis não sedão

As Armas ao Poder sedão os Reis.

ÀS ARMAS CIDÃOS [CIDADÃOS] É Tempo Às Armas
Nem um momento mais, perder deveis
Se à força da Razão os Reis não cedem
Das Armas ao Poder sedão [cedam] os Reis.

[*c*. set. 1821]

AHI — lata 195, maço 6, pasta 13.

Panfleto 18

Ás Armas Portuguezas ás Armas amantes da Nossa Nação

Ás Armas habitantes desta Cidade já he tempo de Quebrar os Grilhoens
em q. a tanto tempo tendes Vivido, não pello nosso augusto Monarca
mas Sim pellos que otrazem enganado, vendido esses nossos amantes e cidadãos
do povo, deitai as escamas dos vossos olhos fora e não percamos hum Momento
q. que Vos seguro que tereis m. Vos de Tenda e Seja em Geral Viva
ElRei D. João 6.º e toda a familia Rial, e vivão a sorte que sara. Mas a Constituição do R. de Janr.º apreciai os q. antes millhor, pois já he
mais que tempo e retempo. Vede o nosso m. dança Patria q. tem
feito a nossa Patria, grande Dia de Gloria. Para o nos Reijns não fiquemos
atras. Bem Sabeis que Somos os mesmos e vemos mostrar que não
ficamos atras, pois o quelhe obrado q. nos dever a lhe Corresponder mais ficaremos
Deshonorados q. Covardes e indigna da Boa União. Agora acaba de ver o escrito
que hontem Vai ou em que diz no mesmo a S. M. a o Presidente então estava em
criado e seus inderados q. que tornava a ficar esta tinhamos o Inferno de Sobre
de nos se acelerado. em fim Ás Armas Portuguezas Sem demora a brir Olhos
em quanto he tempo. Ás Armas Amigos da Nação Natureais modo,
Viva ElRei D. João 6.º e A Constituição do R. de Janr.º

Na Impreção Regia da N.

ÀS ARMAS PORTUGUESES ÀS ARMAS AMANTES DA VOSSA NAÇÃO

Às Armas avitantes [habitantes] desta Cidade já é tempo de quebrares [sic] os Grilhões em que há tanto tempo tendes Vivido em Laçados [enlaçados] não pelo nosso augusto Monarca mas Sim pelos que o trazem enganado ou vendido esses nossos amantes e aduladores do povo;[81] deitais as escamas dos vossos olhos fora e não percamos um só Momento por que vos seguro que tereis quem Vos defenda e Seja o nosso Grito em geral Viva El Rei D. João 6º e toda a família Real e vivam as cortes e para elas a Constituição do Reino do Rio de Janeiro apressai-vos quanto antes melhor pois já é mais que tempo e de tempo Vede os nossos amantes da nossa Pátria o quanto têm feito na nossa Pátria; Grande Dia de Glória Para o nosso Reino não fiquemos atrás Vem [Bem] saveis [sabeis] que somos os mesmos e devemos mostrar-lhe que não ficamos

81. Referências aos secretários e ministros de d. João, em especial Tomás Vilanova Portugal.

atrás pois o que tem obrado por nós deva-se-lhe Corresponder se não ficaremos tidos e havidos por Covardes e indignos da Boa União; Agora acavo [acabo] de ver o decreto que ontem Vaixou [Baixou] em que diz nomeara Sᵃ Mᵃ os Residentes então estavam com criad. [criadagem?] esses endevidos [indivíduos?] por que tornavam a ficar então tínhamos o Inferno dos Pobres de novo acelerado. enfim Às Armas Portugueses. Sem demora avri [abri] os Olhos enquanto é tempo. Às Armas Amigos da Nação Não tenhais medo; Viva El Rei D. João 6º e a Constituição do Rio de Janeiro.

Na Impressão Régia da N. [Nação]

[1821]

AHI — lata 195, maço 6, pasta 2.

Panfleto 19

Comoração á esqueira dita Corte

Levantaivos libidiviozos que estaes dormindo
na madorna depezar sonno, elembraivos que a-
gora estaes em tempo de goor esta Corte em
ordem, eeagora emzaõ fazeis, tendo sou di-
do todo osso tempo vamos aconsumar a-
vida nesta Corja deladroens, que estaõ
roubando os Thisouros do Rej; eosrosos vamos
fazer as nosas obras enbora detalha tanto
para Deos, Como para bem.onciodo
dar ensticimento aquem otem pagar bem as-nosas Tropas final-mte
As trenas decideu aquestaõ. Siva
ElRej Dom Joaõ, etoda a Familia
Real, eanova Constituiçaõ e mora
tudo quanto hi ladraõ

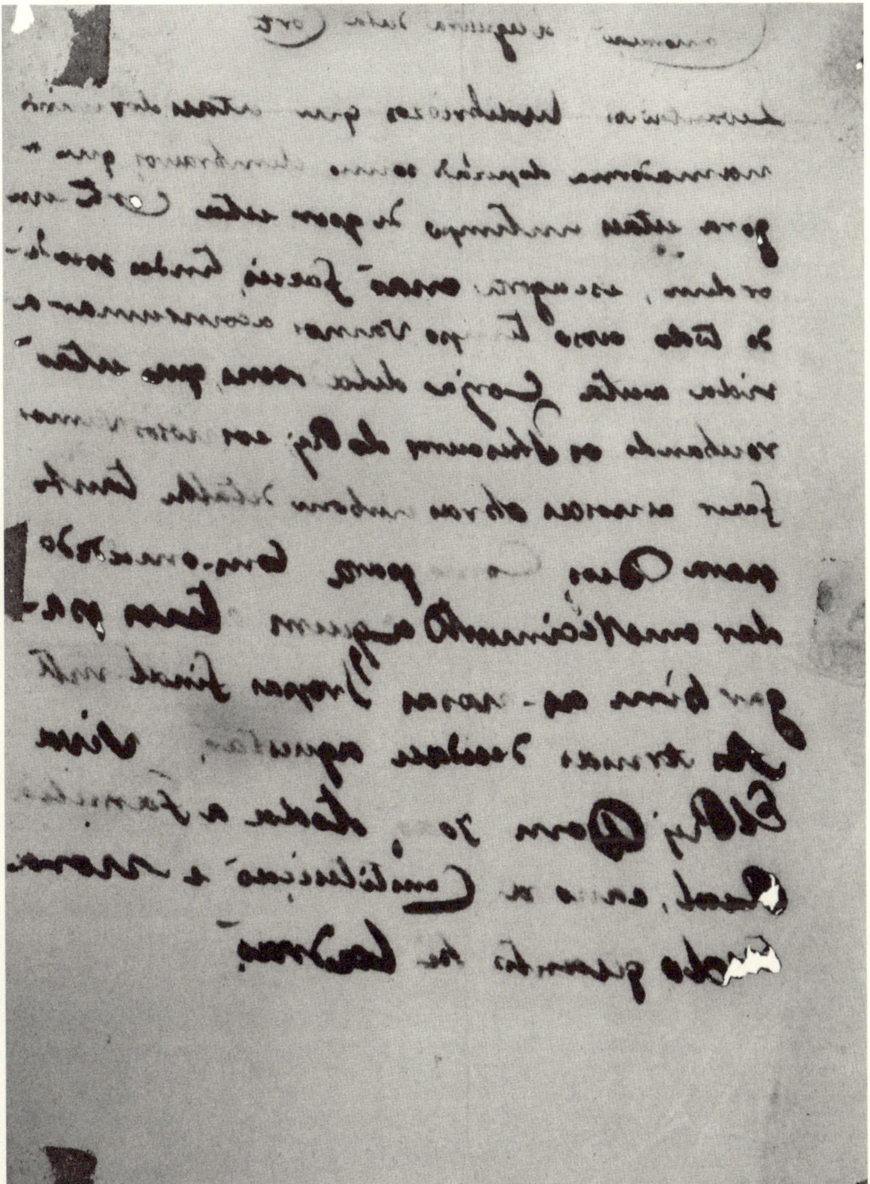

CONVOCAÇÃO À CEGUEIRA DESTA CORTE

Levantai-vos ludibriosos que estais dormindo na madorna do pesado sono, e lembrai-vos que agora estais em tempo de pôr esta Corte em ordem, e se agora o não fazeis, tendes perdido todo o vosso tempo vamos a consumar a vida a esta corja de ladrões, que estão roubando os tesouros do Rei; e os nossos vamos fazer as nossas obras em bom detalhe tanto para Deus, como para com o mundo dar o merecimento a quem o tem pagar bem as nossas Tropas finalmente As armas decidam a questão. Viva El-Rei Dom João, toda a Família Real, e a nova Constituição e morra tudo quanto é Ladrão.

[1821]

AHI — lata 195, maço 6, pasta 13.

Panfleto 20

Meu A.º

Cada ves mais nomed.⁰ˢ D.ª não tenha dado a p.ª agora
s'um dôs, q.ᵉ Feliberto, I.ᵉ M.ⁱᵃ da Policia, Intendente
dam.ᵗᵉ Vergine, Luis S.ᵗ; Torras Ant.º; e outros
serão presos esta Noite p.ª a Lage &

MEU AMIGO

CADA VEZ MAIS NOVIDADES Deus nos tenha da Sua parte agora sem ódios que Felisberto,[82] Jᵉ Mᵃ[83] da Polícia, Intendente da mesma Targine,[84] Luiz Joze,[85] Tomaz Antonio,[86] e outros foram presos esta noite para a Lage &[87]

82. Trata-se, provavelmente, de Felisberto Caldeira Brant, que chegara da Bahia no Rio de Janeiro, em companhia do conde da Palma, na fragata inglesa *Icarus*, em 22 de fevereiro de 1821. Ver nota 51.

83. José Maria Rebelo de Andrade Vasconcelos e Sousa. Foi comandante nomeado em 1809 da Guarda Real da Polícia. Cf. nota 108.

84. Francisco Bento Maria Targini, barão e visconde de São Lourenço. Cf. nota 94.

85. Luiz José de Carvalho e Melo. Cf. nota 123.

86. Tomás Antônio Vilanova Portugal. Cf. nota 88.

87. Pode ser referência à prisão de alguns homens de confiança de d. João, determinada pelo soberano em decreto de 3 de março, com o objetivo de preservá-los de qualquer "sinistro e inopinado projeto de seus inimigos", perturbadores do sossego do Rio de Janeiro. Assim afirmava o decreto de 16 de março de 1821 que mandava soltar as referidas pessoas. No entanto, dos nomes acima,

[1821]

AHI — lata 195, maço 6, pasta 13.

---

apenas Luiz José e Targini foram presos naquela época. Da mesma forma, o
local da prisão foi a fortaleza de Santa Cruz. Pode se tratar de equívocos no
panfleto manuscrito ou dos mexericos típicos do Antigo Regime.

Panfleto 21

PARTJCJPA-SE A VM EM COMO NA LOGE DE COS-
TODJO FRACJSCO SETRATA SOBRE A CONSTJTV-
JÇAÕ EQVE ONDEM FAZER HVMA PROCLA
MAÇAÕ PARA DE MAÕ EM MAÕ HJR DES-
PONDO OS ANJMOS DE MVJTOS HE NA
RVA TRAS DO HOSPJCJO NA TRAVES-
SA DA CANDELARJA. VM

ABRA OS OLHOS E VEJA —

QVE.....

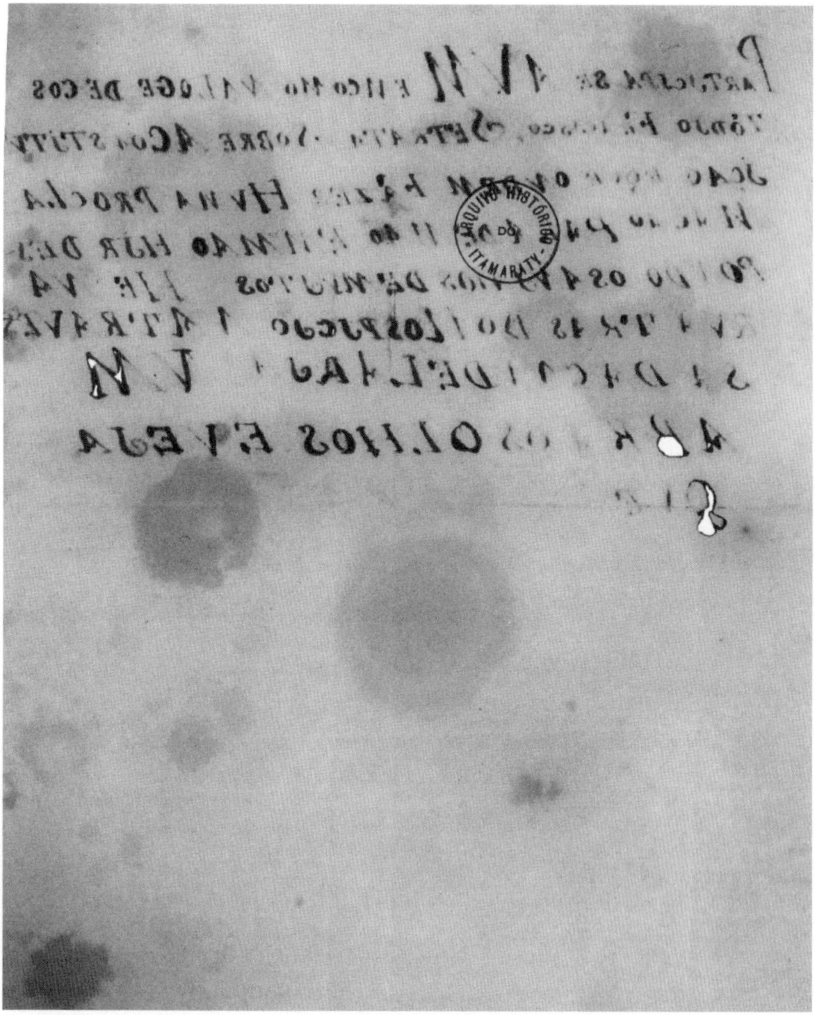

PARTICIPA-SE A V. M. em como na loja de Custódio Francisco se trata sobre a Constituição e que ondem [andem?] fazer uma proclamação para de mão em mão ir dispondo os ânimos de muitos. É na rua [de] trás do Hospício na Travessa da Candelária. V. M. abra os olhos e veja — Que...

[1821]

AHI — lata 204, maço 2, pasta 17.

Panfleto 22

Quaes são os entretenim.tos que exige esta Addm.ção de Justiça, e que
não tem os Concelhos vezinhos?

Quem he q' paxima o Cabido se aproveitava p.a ouvires na
mesma condição, sem meus offirios sem meia de propried.e, e-
vitando tantas perigos de provisão?

8.º q' medidas alem do já conheridos, se devi se pode appro-
VH mais e segurança intreadual, se lhe propriede lo cazeg.?

De os Governadores das Capitanias, alem das Províncias devem continuar com a mesma dureza?, ou se prin-
zão de algões protechuicas? q' não observão?, especialidade
dorz per?

QUAIS SÃO OS MELHORAMENTOS QUE EXIGE ESTA ADMINIS-
TRAÇÃO DA JUSTIÇA, para não terem as horrendas cenas?

Quais os que precisa o estado da escravatura para suavizar
sua mísera condição, sem caçar o direito de sua carta de propriedade, evitando tantas queixas de sevícias?

Por que medidas além das já conhecidas na Lei se pode segurar mais a segurança individual, e a da propriedade de cada qual?

Se os Governadores das Capitanias, aliás das Províncias devem continuar com a mesma autoridade ou se precisam de alguma modificação para não abusarem, e qual ela deve ser?

[1821?]

AHI — lata 195, maço 6, pasta 2.

Panfleto 23

Relação das pessoas que havião de ser praças ministerio
da Christa do novo Governo do Rio de Janeiro.

S/Acta

O Ex.mo Sr. Thomaz Antonio d. Villanova Portugal
O Marquez d Lavella por tres vezes o Cosidor Franqueza,
O Conde de Baepeti por tres vezes querendia os lugares
O Conde de Palmella por tres estado de Secretario do Estado
O Visconde d Villa Nova da Rainha,
O Visconde de Magé ambos posto dep. instituy,
O Visconde de S. Lourenço,
O Visconde do Rio Seco ambos posterior,
O Visconde d Mirandella,
O Almirante Rodrigo Pinto Guedes,
O Tenente General João de Borja Costa Real
O Tenente Luiz da Motta Feo,
O Conselheiro Manoel José Sarmento,
O Brigadeiro João de Vasconcellos,
O Brigadeiro Gamitz,
O Brigadeiro Ingles Pereira,
O Coronel Ingles Velloso,
O Coronel Redactor da Gazeta,
O Tenente Coronel Ingles Mac Gregor,
Frey Feliciano Castello
Antonio Soares de Oliveira
Camillo Martins Lage,
Antonio José de Barros Ferreira

Joze Maria Rebello,

O Coronel Francisco Cathet,

O Marejós Joaõ Rebello filho do Joze Maria Rebello,

O longo Manoel Innersko,

O Ouvidor d'Sª Mª Antonio Gomes,

Antonio Cilly de Menezes,

Joaõ Antonio de Sabia Pereira Nª

O Marechal de Campo do Ordem do Paço Dtr Manoel,

O Capitaõ Tenente D Vtr d'Veiga Coitinho,

Antonio Luiz de Menezes,

O Bacharel d'Sª Mª Luiz Joze do Valle,

O Marejós Alberto Homem de Macedo,

O Capitaõ d'Fragata Manoel Btr de Macedo

Manoel Anastacio de Brito, e certo Sogeito que
naõ pode ja nomear Me attestaõ do por Copias q.
alguem Gtr Joze da Cysta,

Joaõ Severianno Maciel da Cysta

Antonio Roiz Valloso,

Monsenhor Miranda,

Monsenhor Almeida,

Luiz Joze de Carvalho, e Mello,

Paulo Fernandes Vianna,

Vicente Antonio de Oliveira,

Affonso Bruss Dtr Innocencio,

Leonardo Pinheiro,

Fernando Carneiro Leão,
Luis de Souza diz,
Alvaro velho da Silva,
O Escrivão de ... Graça Manoel Pinto
Alguns por correspondencia, os dez por conselheiros de ...
Senhor Thomaz Antonio: Digo ... mais
alguns, podem em relação estarão só os referidos.

RELAÇÃO DAS PESSOAS QUE DEVIAM SER PRESAS na intenção dos Eleitores do novo Governo do Rio de Janeiro

O Exmo. Sr. Thomaz Antonio de Villanova Portugal,[88]
O Marquês de Loullé por ter todos o[s] Criados Franceses,[89]

88. Tomás Antônio Vilanova Portugal. Nascido em Lisboa, em 1755, e formado em Coimbra, foi o homem de confiança de d. João VI, chegando a acumular, entre 1818 e 1820, os ministérios dos Negócios do Reino, dos Estrangeiros e da Guerra e a presidência do Real Erário. Em 1818, acrescentou ainda a pasta da Marinha, sendo o único ministro da Corte. Defensor das estruturas do Antigo Regime, opôs-se radicalmente à Revolução de 1820, defendendo a manutenção da sede da Corte no Brasil. Regressou a Portugal com d. João VI, em 1821, sendo impedido de desembarcar pelas Cortes de Lisboa. Era um espírito culto, versado em assuntos de jurisprudência e economia política. Morreu em Portugal, em 1839, em estado de quase penúria.

89. Primeiro marquês de Loulé e oitavo conde de Vale dos Reis, d. Agostinho Domingos José de Mendonça Rolim de Moura Barreto (1780-1824). Integrou a Legião Portuguesa, lutando junto às tropas de Massena, quando da terceira invasão francesa. Foi por tal motivo condenado à pena de morte, em 1811, embora se encontrasse ausente de Portugal. Alguns anos depois, em 1817, decidiu ir ao

O Conde de Paraty por ser um ladrão que vendia os Empregos,[90]

O Conde de Palmélla por ser dotado de sentimentos tiranos,[91]
O visconde de Villa Nova da Raynha,[92]
O visconde de Magé, ambos por validos, e maus,[93]

Rio de Janeiro para implorar o perdão real. Foi recolhido à prisão, embora indultado em sua pena e reabilitado em suas honras e bens. Foi admitido no secto do rei, como camarista. Regressou a Portugal e morreu assassinado em 1824.

90. Miguel Rafael Antônio do Carmo de Noronha Abranches, primeiro conde de Paraty (1784-1849). Natural de Lisboa, foi governador e capitão general da capitania de Minas Gerais, coronel de Cavalaria do Exército Português, conselheiro da Real Fazenda. Serviu ainda como gentil-homem da Câmara do príncipe regente d. João, de quem se tornou amigo e confidente. Recebeu as honras da grã-cruz da Ordem Militar da Torre e da Espada. Possuiu uma sesmaria em Paraty e a chamada quinta de Botafogo, na cidade do Rio de Janeiro.

91. D. Pedro de Sousa Holstein, conde, marquês e depois duque de Palmela (1781--1850). Chegou ao Rio de Janeiro em dezembro de 1820, tendo antes passado por Lisboa e vivenciado a revolução liberal que aí acontecia. Na Corte, defendeu a ideia de que d. João VI deveria voltar a Portugal e deixar no Brasil o príncipe d. Pedro. Era ainda favorável a que o soberano desse uma carta constitucional ao Reino.

92. Francisco José Rufino de Souza Lobato, barão e visconde de Vila Nova da Rainha (1773-1830). Fidalgo da Casa Real e coronel de milícias da guarnição de Lisboa, atingindo o posto de tenente-general em 24 de abril de 1821. Fez parte da comitiva do príncipe regente d. João quando veio para o Brasil, onde foi porteiro da Real Câmara, manteeiro, tesoureiro do Real Bolsinho, guarda-joias e tapeçarias, apontador dos foros dos reposteiros. Tantas benesses recebidas demonstravam sua relação de intimidade com o príncipe regente, sobre quem detinha profunda influência. Era casado com d. Mariana Leocádia Bárbara Leitão e Souza Carvalhosa. Antes de seu casamento, teve um filho natural, com uma serviçal da família, que nada mais era do que Francisco Gomes da Silva, o famoso Chalaça, futuro secretário particular e amigo inseparável de d. Pedro I. Regressou a Portugal com a Corte em 1821.

93. Matias de Souza Lobato. Natural de Portugal, era irmão de Francisco Rufino de Souza Lobato. Foi guarda-roupas da Casa Real e do Reino. No Brasil, continuou a ocupar cargos importantes a serviço do rei, sendo agraciado com várias benesses, inclusive a de visconde de Magé. Os irmãos Lobato exerceram profunda influência sobre d. João, sendo chamados pelo historiador Oliveira Lima

O visconde de S Lourenço,[94]

O visconde do Rio Seco, ambos por ladrões,[95]

O visconde de Mirandella,[96]

---

como a "tribo dos Lobato", em virtude do peso das relações familiares daqueles nas funções da Casa Real.

94. Francisco Bento Maria Targini, barão e visconde de São Lourenço (1756--1827). Natural de Lisboa, comendador das ordens de Cristo e de Nossa Senhora da Conceição de Vila Viçosa, do conselho da rainha d. Maria I. Era filho de um italiano. Começou sua carreira entrando como caixeiro e subindo depois a guarda-livros de uma casa de comércio em Lisboa. Elevou-se, graças ao seu talento, a inúmeros cargos na administração. Acompanhou ao Brasil a família real, em novembro de 1807, sendo nomeado conselheiro de Estado e conselheiro de Fazenda. Foi agraciado com o título de barão de São Lourenço (1811) e, mais tarde, com o de visconde (1819). Considerado fiel aos princípios do Antigo Regime, foi um daqueles que, ao regressar a Portugal com d. João VI, não obteve licença para desembarcar, e, retirando-se para Paris, ali faleceu. Apesar dos acontecimentos de 1823, com a Vila Francada e o regresso do absolutismo em Portugal, o visconde de São Lourenço, que também fora tesoureiro mor do Real Erário no Brasil, não quis voltar à sua terra natal.

95. Joaquim José de Azevedo, visconde do Rio Secco, em Portugal, e depois marquês de Jundiaí, no Brasil (1761-1835). Natural de Belém, termo da cidade de Lisboa, veio para o Brasil com a Corte portuguesa, em 1807. Em Portugal, exerceu vários cargos, pelo que foi agraciado com seu primeiro título. Foi comendador das ordens portuguesas da Torre e da Espada, da Conceição de Vila Viçosa e de Cristo e das ordens brasileiras do Cruzeiro e da Rosa. Tornou-se cidadão brasileiro por ter aderido à independência e permaneceu no Brasil. Foi autor de uma célebre *Exposição analytica e justificativa da conducta e vida publica do Visconde do Rio Secco* (1821), em que narra vários fatos desde a vinda de d. João para o Brasil até os acontecimentos de 1821.

96. O primeiro visconde de Mirandela foi Francisco Antônio da Veiga Cabral e Câmara, que recebeu o título em 13 de maio de 1810 e faleceu no Rio de Janeiro a 31 de maio de 1810. Na falta de sucessão de seus irmãos, veio a ser herdeira de todos os outros bens do casal d. Joana Francisca Josefa da Veiga Cabral e Câmara, nascida em Bragança em 1758, falecida em 1819. Foi feita segunda viscondessa de Mirandela. Casou-se, em 1803, com Antônio Doutel de Almeida, nascido em Lamego em 1775, brigadeiro do Exército, comendador da Ordem de Cristo, depois visconde de Mirandela no Brasil, em 17 de maio de 1815. Portanto, a personagem da lista deve ser Antônio Doutel de Almeida.

O Almirante Rodrigo Pinto Guedes,[97]
O Tenente-General João de Souza Corte Real,[98]
O Almirante Luiz da Motta Feu[99]
O Conselheiro Manoel Joze Sarmento,[100]
O Brigadeiro João de Vasconcellos,
O Brigadeiro Genelly,[101]

97. Rodrigo Pinto Guedes, barão do Rio da Prata (1762-1845). Nascido em Portugal, faleceu brasileiro pela Constituição Política do Império, em Paris. Era almirante reformado da Armada, grande dignitário da ordem da Rosa e grã--cruz da de S. Bento de Aviz. Em março de 1821, foi preso junto com os desembargadores do Paço na Fortaleza de Santa Cruz, por ordem de d. João vi. Mais tarde, dirigiu a esquadra brasileira na campanha do Rio da Prata, de março de 1826 até dezembro de 1828, sofrendo acusações, pelas quais respondeu a conselho de guerra.

98. João de Sousa Mendonça Corte Real. Nascido em Portugal, veio para o Brasil na comitiva do príncipe regente d. João. Foi promovido a brigadeiro graduado em 13 de maio de 1808, chegando ao cargo de tenente-general em 1821. Em decreto de 19 de agosto de 1809, foi nomeado inspetor geral dos corpos de infantaria de linha e de todas as milícias da Corte e capitania do Rio de Janeiro. Exerceu os cargos de vogal e conselheiro de guerra do Conselho Supremo Militar, para os quais foi nomeado, respectivamente, por decretos de 22 de janeiro e 13 de maio, ambos de 1818. Regressou para Portugal com d. João vi.

99. Luiz da Motta Feo (1769-1823). Nasceu em Portugal, sendo nomeado governador da capitania da Paraíba do Norte (1802) e governador de Angola (1815-9). Regressou ao Brasil em outubro de 1819, sendo nomeado conselheiro de Guerra no Supremo Conselho Militar (1820), no qual serviu até março de 1821, quando solicitou licença para regressar a Portugal com sua família. Chegou a Lisboa em julho de 1821, onde faleceu em maio de 1823.

100. Manuel José Sarmento (1764-1836). Nascido em Portugal, era fidalgo da Casa Real, alcaide mor de Alcácer do Sal, comendador das ordens de Cristo e de Carlos iii, de Espanha; conselheiro do Ultramar, foi ainda oficial mor da secretaria do reino, casado com d. Mariana Raimunda Pereira da Silva Leitão.

101. Antônio Geneli (?-1841). Natural de Portugal, iniciou sua carreira militar na Armada Real, na qual alcançou todos os postos até capitão de fragata, em 1806. Fez parte da comitiva do príncipe d. João, ocupando, ao chegar ao Brasil, o cargo de ajudante de ordens da Brigada Real de Marinha. Em 17 de dezembro de 1815 foi transferido para o Exército, no posto de coronel, sendo classificado na arma

O Brigadeiro Inglês Broúnn,[102]

O Coronel Inglês Usleiy,[103]

O Coronel Redator da Gazeta,[104]

O Tenente Coronel Inglês Mac Gregor.

Joze Feleciano Castilho,[105]

---

de infantaria. Foi graduado no posto de brigadeiro em 1818. Em janeiro de 1822, lutou ao lado dos brasileiros contra Jorge Avilez. Em 16 de maio de 1831 foi demitido do Exército por ser estrangeiro, medida tornada sem efeito por haver provado ter sido naturalizado quando coronel. Faleceu no Rio de Janeiro.

102. Refere-se, talvez, a Gustavo Henrique Brown, que foi coronel do Exército britânico e marechal de campo reformado de Portugal. No entanto, somente em 1826 foi contratado em Londres para servir no Exército brasileiro, seguindo para o Rio Grande do Sul, sob as ordens do marquês de Barbacena. Em decreto de 30 de janeiro de 1830, foi nomeado governador de armas da província do Rio Grande do Sul. Em 6 de maio de 1831, foi demitido do serviço do Exército por ser estrangeiro. Retirou-se para a Europa e mais tarde, porém, pediu anulação do ato de sua demissão, sendo atendido pela lei nº 621, de 6 de setembro de 1851 do Poder Legislativo, que autorizou o governo imperial a mandar ficar sem efeito a demissão e a reformá-lo no posto de marechal de campo. Obteve licença para residir na Europa, onde faleceu em Dresden a 28 de maio de 1859.

103. Não foi possível identificar a personagem. A mais próxima poderia ser Arthur Wellesley, duque de Wellington, conservador e partidário de um governo mais próximo ao Antigo Regime. No entanto, nunca esteve no Brasil.

104. Manuel Ferreira de Araújo Guimarães (1777-1838). Natural da Bahia, fez seus estudos de humanidades em Lisboa, onde se matriculou na Academia Real de Marinha. Acompanhou o conde da Ponte em sua viagem ao Brasil, chegando à cidade da Bahia em 13 de dezembro de 1805. Em agosto de 1808, veio para o Rio de Janeiro, transferindo-se para o Exército, no qual atingiu o cargo de brigadeiro graduado (1828). Foi também professor da Academia Real Militar. Deputado pela província da Bahia à Assembleia Constituinte, foi nomeado, no ano seguinte, deputado da Junta de Inspeção da Typographia Nacional. Militar de grande ilustração, escreveu e traduziu diversas obras de matemática e colaborou em vários periódicos, tendo sido redator da *Gazeta do Rio de Janeiro*, de onde foi demitido em 1821. Iniciou, em seguida, a redação de outro periódico: *O Espelho*. Era detentor das ordens de S. Bento de Aviz e do Cruzeiro.

105. José Feliciano de Castilho (1765-1826). Natural de Portugal, oriundo de família abastada. Fidalgo da Casa Real, cavaleiro professo na ordem de Cristo,

Antonio Soares de Paiva,[106]
Camillo Martins Lage,[107]
Antonio Joze de Barros Pimentel,
José Maria Rebello,[108]

---

doutor em medicina e lente da Universidade de Coimbra. Foi o primeiro médico da Câmara de d. João VI, censor régio do Desembargo do Paço e sócio da Academia Real das Ciências de Lisboa. No Brasil, foi o primeiro médico e subinspetor da Colônia dos Suíços de Nova Friburgo, na comarca do Rio de Janeiro. Foi pronunciado como um dos promotores da agitação que se manifestou entre os lentes da Universidade de Coimbra contra o reitor d. Francisco de Lemos, decidindo vir ao Brasil pedir justiça a d. João VI. Chegando ao Rio de Janeiro, foi muito bem recebido pelo regente, a quem mostrou a sem-razão da pronúncia. Como prova de estima, d. João encarregou-o de auxiliar a organização da colônia suíça de Nova Friburgo, da qual foi inspetor e médico. Regressou a Portugal em 1821, acompanhando d. João VI. Foi também um letrado, fundando o *Jornal de Coimbra*, em 1812.

106. Antônio Soares de Paiva (1761-1825). Natural da Colônia de Sacramento, foi comerciante de grosso trato no Rio Grande do Sul.

107. Camilo Martins Lage. Oficial-maior da Secretaria de Estado dos Negócios Estrangeiros e da Guerra, sendo nomeado em abril de 1822 ministro do Reino Unido de Portugal, Brasil e Algarves nos Estados Unidos da América, missão que, no entanto, não pôde cumprir, segundo o jornal *A Malagueta* nº 15, de 10 de abril de 1822. Em 1823, já na Europa, era o representante de Portugal junto à Corte dos Países Baixos.

108. José Maria Rebelo de Andrade Vasconcelos e Sousa. Provavelmente natural de Portugal, assentou praça de aspirante a guarda-marinha em 1790, em Lisboa. Em julho de 1808, sendo capitão agregado ao regimento de cavalaria da capitania de Minas Gerais, exercia as funções de ajudante de ordens do governador das armas da Corte. Foi comandante da Guarda Real da Polícia. Em 1818, foi promovido a brigadeiro graduado. D. João VI, atendendo aos valiosos serviços prestados, principalmente na organização da divisão militar de seu comando, resolveu, em decreto de 11 de dezembro de 1819, conceder-lhe pensão anual de 400 mil-réis, com sobrevivência à sua mulher, d. Jerônima Prudência da Cunha Coelho Henriques, e à sua filha, d. Mariana Rebelo de Vasconcelos e Sousa, e bem assim a de 200 mil-réis a seu filho João Rebelo de Vasconcelos e Sousa Coelho Henriques.

O Coronel Francês Callhet,[109]

O Major João Rebello, filho de Joze Maria Rebello,[110]

O Cônego Manoel Vencesllão,[111]

O Ourives de Sa. Ma. Antonio Gomez,[112]

Antonio Telles de Menezes,[113]

João Antonio de Seabra Perestrello,

109. Coronel François Étienne Raymond Cailhé de Geine. Emigrado francês, domiciliado em Paris, que recebeu autorização para servir em Portugal em 1816. Teria chegado a oficial durante a Revolução Francesa. Veio para o Rio de Janeiro a fim de estabelecer uma casa de jogo. Transformou-se em informante da Intendência Geral de Polícia da Corte do Rio de Janeiro. A Cailhé de Geine é atribuída a autoria do folheto *Le Roi et la Famille Royale de Bragance doivent-ils, dans les circonstances presentes, retournes en Portugal, ou bien rester au Brésil?* (Rio de Janeiro: Typographia. Regia, 1821), mandado imprimir por ordem de Tomás Vilanova Portugal.

110. Cf. nota 108.

111. Manuel Venceslau de Souza. Era o cônego fabriqueiro da Capela Real. Morava na rua do Cano (atual Sete de Setembro), no centro da cidade do Rio de Janeiro.

112. Antônio Gomes da Silva. Português que veio na comitiva da Corte para o Brasil, sendo ourives e reposteiro do rei. Na época da aclamação de d. João VI, confeccionou uma coroa, um cetro e um florete. Perfilhou, a pedido do visconde de Vila Nova da Rainha, seu filho natural, Francisco Gomes da Silva, o conhecido Chalaça.

113. Antônio Telles da Silva Caminha e Menezes, marquês de Rezende. Filho de Fernando Telles da Silva Caminha e Menezes, marquês de Penalva, e da marquesa de mesmo título. Nasceu em Torres-Vedras, Portugal, a 22 de setembro de 1790, e faleceu em Lisboa a 8 de abril de 1875. Achava-se no Brasil por ocasião da independência, à qual aderiu; serviu como ministro do Brasil nas cortes de Paris, de S. Petersburgo e de Viena, e depois como mordomo mor da imperatriz viúva; era gentil-homem da Imperial Câmara; grã-cruz das ordens da Rosa e de Cristo; grã-cruz da ordem da Torre e Espada e da de N. S. da Conceição da Villa Viçoza, de Portugal, e da ordem da Coroa de Ferro, da Áustria; cavaleiro da ordem de S. João de Jerusalém; sócio da Academia Real das Ciências de Lisboa e da de Munique, da Academia Francesa de Indústria Agrícola, Manufatureira e Comercial, da Sociedade Real de Navegação de Londres, e da Sociedade de Estatística Universal.

O Marechal de Campo às Ordens do Paço Francisco Manoel,[114]
O Capitão Tenente D. Francisco de Souza Coitinho,[115]
Antonio Luiz de Menezes,
O Particular de Sa. Ma. Luíz Joze do Valle,
O Major Alberto Homem de Macedo,[116]
O Capitão de Fragata Manoel Pereira de Macedo,[117]
Manoel Anastacio de Brito,[118] e certo sujeito que não precisa nomear-se estes todos por Espiões, assim como João Joze da Costa, João Severiano Maciel da Costa,[119]

114. Francisco Manuel da Silva e Melo (1760-1837). Natural da Colônia do Sacramento, onde assentou praça no dia 21 de novembro de 1774, atingindo o posto de marechal de campo graduado em 13 de maio de 1819. Participou de uma comissão científica, que desempenhou em setembro de 1788, apresentando um mapa da expedição botânica existente na Biblioteca Nacional. Foi ajudante de ordens do governador das armas da Corte e da capitania do Rio de Janeiro. Por decreto de 13 de maio de 1815, foi-lhe conferida a sobrevivência do governo da ilha das Cobras. Solicitou reforma, que foi concedida por decreto de 11 de setembro de 1824. Foi um dos colaboradores da obra *Flora fluminense* do botânico frei José Mariano da Conceição Veloso. Faleceu na cidade do Rio de Janeiro.

115. D. Francisco de Souza Coutinho. Natural de Portugal, foi governador da província do Grão-Pará, entre 1790 e 1803. Era irmão de d. Rodrigo de Souza Coutinho, pertencendo ao Conselho de Sua Majestade, cavaleiro da Ordem de Malta, almirante da Armada Real. Dele existe publicada, em 1806, uma versão em francês da obra *Vantagens da boa educação, e objectos da mesma*.

116. Alberto Homem de Macedo e Vasconcelos. Na opinião de d. Pedro, em carta a seu pai (18 de outubro de 1821), era um verdadeiro português, homem honrado e verdadeiro constitucional. Em 1822, era major ajudante da Divisão Auxiliadora Portuguesa.

117. Manuel Pereira de Macedo. Foi promovido a capitão de fragata no dia 12 de outubro de 1817, em virtude de seus serviços nas expedições do Sul e de Pernambuco, cf. publicação da *Gazeta do Rio de Janeiro* de 15 de novembro de 1818.

118. Manuel Anastácio Xavier de Brito. Exercia o cargo de tesoureiro e escrivão da Casa Real, em 1808.

119. João Severiano Maciel da Costa, marquês de Queluz (1769-1833). Nasceu em Mariana, Minas Gerais, formado em direito pela Universidade de Coimbra.

Antonio Rodrigues Vellozo,[120]
Monsenhor Miranda,[121]
Monsenhor Almeida,[122]

Seguiu a carreira da magistratura, atingindo o cargo de desembargador do Paço do Rio de Janeiro. Foi nomeado governador da Guiana Francesa, ali permanecendo desde sua tomada, em 1809, até 1819. Era do Conselho de d. João VI, tendo acompanhado o soberano em seu regresso a Portugal. As Cortes, porém, não o deixaram desembarcar, e Maciel da Costa teve de voltar para o Brasil. Prosseguiu em sua vida política, sendo eleito deputado à Constituinte brasileira por sua província natal e senador. Ocupou a pasta dos Negócios do Império de 1823 a 1824 e a dos Estrangeiros em 1827. Escreveu uma *Memoria sobre a necessidade de abolir a introducção dos escravos africanos no Brazil, sobre o modo e condições com que esta abolição se deve fazer, e sobre os meios de remediar a falta de braços que ella póde occasionar*, publicada em Coimbra, em 1821.

120. Antônio Rodrigues Velozo de Oliveira (1750-1824). Nasceu em São Paulo, tendo se formado em direito pela Universidade de Coimbra. Foi chanceler da Relação do Maranhão, desembargador do Paço, deputado da Mesa da Consciência e Ordens e juiz conservador da nação britânica em todo o distrito da Casa da Suplicação do Brasil. Foi deputado à Constituinte brasileira, defendendo a ideia de se acabar com a escravidão dos africanos. Era do Conselho de Sua Alteza Real e de Sua Majestade o senhor d. Pedro I, fidalgo cavaleiro da Real Casa, comendador da Ordem de Cristo e considerado um dos grandes estadistas de sua época.

121. Monsenhor Pedro Machado de Miranda Malheiros (1780-1838). Natural de Portugal, foi doutor em cânones pela Universidade de Coimbra. Lutou nas guerras de Restauração do Reino de Portugal. Em 1810, foi nomeado desembargador do Paço e da Mesa da Consciência e Ordens, recebendo na mesma época a comenda da Ordem de Cristo. Em carta régia de 6 de maio de 1818, foi nomeado inspetor da colônia de suíços em Nova Friburgo. Regressou a Portugal com d. João, em 1821, mas seu nome constava na lista dos proibidos de desembarcar em Portugal por ordem das Cortes de Lisboa, portanto voltou ao Brasil. Proclamada a independência, naturalizou-se brasileiro, exercendo o cargo de chanceler mor do Império. Em 1828, foi nomeado ministro do Supremo Tribunal de Justiça.

122. Monsenhor Antônio José da Cunha Almeida e Carvalho. Nascido em Portugal, veio para o Brasil com a comitiva do príncipe regente d. João. Foi desembargador do Paço e da Mesa da Consciência e Ordens, além de comissário geral da Junta da Bula da Cruzada.

Luiz Joze de Carvalho, e Mello,[123]

Paullo Fernandes Viana,[124]

Vicentte Antonio de Oliveira,[125]

123. Luiz José de Carvalho e Melo, primeiro visconde da Cachoeira (1764-1826). Nascido na Bahia, foi bacharel em Direito pela Universidade de Coimbra. Exerceu o cargo de juiz de fora da Ponte de Lima em Portugal, passando a desembargador da Relação do Rio de Janeiro, tornando-se o primeiro corregedor do Crime da Corte e Casa de Suplicação. Foi ainda censor régio e deputado da Mesa de Consciência e Ordens. Depois da independência do Brasil, foi deputado à Constituinte brasileira, senador pela província de seu nascimento, conselheiro de Estado, dignitário da Ordem do Cruzeiro, comendador da ordem de Cristo. Foi ministro dos Negócios Estrangeiros no gabinete de 10 de novembro de 1823. Colaborou no projeto de constituição do Império do Brasil.

124. Paulo Fernandes Viana (1757-1821). Nasceu no Rio de Janeiro, filho de português proprietário de terras. Casou-se com a filha de um dos mais ricos negociantes da cidade, Brás Carneiro Leão. Notabilizou-se sobretudo como intendente geral da Polícia da Corte e do Estado do Brasil, desde sua criação, por alvará de 1808, até 1821. Formado em direito pela Universidade de Coimbra, desempenhou ainda a função de ouvidor do Crime, ouvidor e intendente do Ouro da Comarca de Sabará, desembargador do Paço, da Mesa da Consciência e Ordens e do Tribunal da Relação do Rio de Janeiro. Como intendente da Polícia, sua primeira tarefa consistiu em evitar os transtornos decorrentes do súbito aumento provocado pela chegada da Corte. Ao mesmo tempo, em função do temor quanto à infiltração de agentes napoleônicos, cuidou de objetos secretos que só tocavam ao soberano, como deixou registrado em sua *Abreviada demonstração dos trabalhos da Polícia*. Procurou realizar uma série de reformas públicas no Rio de Janeiro, intervindo no cotidiano da cidade. Criou ainda a Guarda Real da Polícia e intensificou as rondas nos bairros em conjunto com os juízes do crime, a fim de controlar a ação de ladrões e assaltantes. Em razão dos serviços prestados à Coroa, Paulo Fernandes Viana obteve uma série de benesses, como a comenda da Ordem de Cristo. Aliada à família de Carneiro Leão, Fernandes Viana amealhou extenso patrimônio, que incluía propriedades nos distritos fluminenses de Cantagalo e Rio Preto e na província de Minas Gerais, passando a constituir um típico exemplo de família da elite nos primórdios do país independente.

125. Vicente Antônio de Oliveira. Foi tenente-general por decreto de 7 de abril de 1815. Na mesma data foi nomeado inspetor geral de artilharia e presidente da Real Junta de Fazenda dos Arsenais de Guerra, Fábricas e Fundições da Corte e Província do Rio de Janeiro. Na mesma data, foi ainda nomeado governador

O Ilmo. Revmo. Sr. Frei Innocencio,[126]
Leonardo Pinheiro,[127]
Fernando Carneiro Leão,[128]
Luiz de Souza Dias,[129]
Amaro Velho da Silva,[130]
O Escrivão do Real Erário Manoel Jacinto,[131]

---

das armas da Corte, cargo que exerceu até 26 de fevereiro de 1821. Regressou a Portugal.

126. Frei Inocêncio Antônio das Neves Portugal. Nascido em Lisboa, foi lente da Faculdade de Teologia em Coimbra e confessor régio. Veio para o Brasil, sendo provincial das Ordens das Carmelitas. Regressou a Portugal, sendo nomeado em 1824 bispo de Faro.

127. Leonardo Pinheiro de Vasconcelos. Nascido em Portugal, veio para o Brasil com a comitiva de d. João em 1808. Foi superintendente da Real Fazenda de Santa Cruz e conselheiro do Conselho da Fazenda.

128. Fernando José Carneiro Leão (1782-1832), conde de Vila Nova de São José. Nasceu no Rio de Janeiro, sendo filho do grande negociante Brás Carneiro de Leão. Foi militar e nobre, atuando no governo joanino e depois na guarda de honra de d. Pedro I. Fidalgo cavaleiro, exerceu diversas funções na Corte. Ficou conhecido por ser considerado o amante negro de Carlota Joaquina.

129. Luiz de Souza Dias. Foi um dos diretores da Junta do Banco do Brasil, em 1817. Morador da rua Direita (atual Primeiro de Março), no centro da cidade do Rio de Janeiro.

130. Amaro Velho da Silva (1780-1844 ou 1850), primeiro barão, visconde e visconde com grandeza de Macaé. Nasceu no Rio de Janeiro, abastado capitalista e negociante, primeiro diretor do Banco do Brasil. Foi membro do Conselho de Sua Majestade, fidalgo da Casa Real, alcaide mor e donatário da vila de São José Del Rei, comendador das Ordens de Cristo e da Conceição, deputado da Real Junta do Comércio. Foi vereador à Câmara do Rio de Janeiro.

131. Manuel Jacinto Nogueira da Gama, visconde e marquês de Baependi (1756--1847). Nasceu em São João Del Rei, na capitania de Minas Gerais, estudando filosofia e matemática em Coimbra. Em 1791, foi nomeado lente substituto de matemática na Academia Real de Marinha, em Lisboa, onde lecionou durante dez anos. Em 1802, foi transferido para o Real Corpo de Engenheiros no posto de tenente-coronel, atingindo o cargo de brigadeiro em 1819. Voltou para o Brasil em setembro de 1802, sendo nomeado deputado e escrivão da Junta da Fazenda da capitania. Em 1808, assumiu o cargo de escrivão do Real Erário, criado no Rio de Janeiro, realizando grandes reformas no sistema de arrecadação de rendas.

Alguns por conspirados, todos por conselheiros do Exmo. Senhor Thomaz Antonio. Dizem haverem mais alguns, porém em relação estavam só os referidos.

[1821]

AHI — lata 195, maço 6, pasta 2.

Com a criação da Real Academia Militar, foi nomeado, por decreto de 11 de março de 1811, deputado da junta diretora da mesma academia, cargo que exerceu até 1821. Foi eleito deputado pela província do Rio de Janeiro à Assembleia Constituinte brasileira. Em 1826, foi eleito e escolhido senador pela província de Minas Gerais. Foi ministro da pasta da Fazenda por duas vezes, em 1823 e 1831, conselheiro de Estado, fidalgo cavaleiro da Casa Real de Portugal. Possuía as condecorações das ordens da Rosa e Imperial do Cruzeiro.

Panfleto 24

Thomaz, deves apprezentar isto a El Rui.

Se queres inda Reinar,
Olha beato Ioaõ,
Beves ir para Portugal,
E assignar a Constituçaõ.

Se tu depreça naõ vais
Para o teu paix natal,
O' Ioaõ olha que perdes
O Brazil, e Portugal.

Detesta qualquer traidor
Que o contrario te encareça,
Húa vez ao Mundo mostra
Qu'inda tens húa Cabeça.

Naõ te fies no malvado,
No perfido Thomaz Antonio:
Olha que quando te falla,
Por elle te falla o Demonio.

Isto o que deves fazer,
Se naõ és hum toleiraõ,
D'outra sorte te virá
A faltar o mesmo paõ.

Assigna a Constituiçaõ
Naõ te faças Singular,
Olha que a teus vezinhos
Já se tem feito assignar.

Isto naõ só he bastante,
Beves deixar o Brazil,
Se naõ viràs em breve
A soffrer desgostos mil.

Se assim o naõ fizeres
Diz adeos á Portugal,
E Rui lá verás depreça
O Duque de Cadaval.

Prepara pra oque te digo,
Naõ sejas hum papa sorda,
Naõ desgostes Portugal
Antes que a desgraça te morda.

Se tu assim o fizeres
Serás de todos amado,
De vassallos e vezinhos,
O teu nome respeitado.

Por hum Amante da Patria

THOMAZ, DEVES APRESENTAR ISTO A EL-REI.

Se queres ainda Reinar,
Olha beato João,
Deves ir para Portugal,
E assinar a Constituição.

Se tu depressa não vais
Para o teu país natal,
Ó João olha que perdes
O Brasil, e Portugal.

Detesta qualquer traidor
Que o contrário te encareça,
Uma vez ao Mundo mostra
Qu'inda tens uma cabeça.

Não te fies no malvado,
No pérfido Thomaz Antonio:
Olha que quando te fala,
Por ele te fala o Demônio.

Isto o que deves fazer,
Se não és um toleirão,
D'outra sorte te virá
A faltar o mesmo pão.

Se assim o não fizeres
Diz adeus a Portugal,
E Rei lá verás depressa
O Duque de Cadaval.[132]

Assina a Constituição
Não te faças singular,
Olha que a teus vizinhos
Já se tem feito assinar.

Prepara p'ra o que te digo,
Não sejas um papa sorda,
Não desgostes Portugal
Antes que a desgraça te morda.

Isto não só é bastante,
Deves deixar o Brasil,
Se não virás em breve
A sofrer desgostos mil.

Se tu assim o fizeres
Serás de todos amado,
De vassalos, e vizinhos,
O teu nome respeitado.

Por um Amante da Pátria[133]

[1821]

AHI — lata 195, maço 6, pasta 13.

132. D. Nuno Caetano Álvares Pereira de Melo, sexto duque de Cadaval. Segundo os cronistas, a Casa de Cadaval era uma das mais nobres do reino, possuindo a mesma varonia que a de Bragança. Quando da vinda de d. João para o Brasil, alguns nobres consideraram o trono vago e sugeriram a ascensão do duque de Cadaval. Este foi, mais tarde, um dos principais políticos que apoiaram d. Miguel.
133. O poema é dirigido a Tomás Vilanova Portugal. Cf. nota 88.

Panfleto 25

Proposta.

~~[linhas riscadas/ininteligíveis] ... Portugal ...~~
~~a fortificar ... com tropas com vigilança, ...~~
~~... ; ... projecto ... e ... os ... e ...~~
~~... imortalizar o ...~~
~~Obstando tem-se constituir ... ...~~
te esperado — He pois de sua .... sua ...
conservação, que este Imperio, ...
o suffoque com maior e mais prontas forças as de Portugal. Não ha hum momento que se não deteja aproveitar. Proponho pois, que sem mais se tomem as
medidas seguintes.

1º. que se faça logo logo hum emprestimo pelo menos
de 10 milhões de cruzados.

2º. que dos 10 milhões, seja empregado ... ...
... embarcações de guerra, já artilhadas e com
a marinha necessaria, p.ª defender nossas costas, e atacar
as do inimigo; e em levantar tropas estrangeiras, que ...
... e pelejar por nos, p.ª evitar os males, que nos
recrutamentos devem nas actuaes circunstancias causar
no Brazil.

3º. que se mande já sequestrar e dar todos os cabedaes
pertencentes á subditos Portuguezes residentes naquelle
Reino, e aplicalos aos meios da nossa defeza.

4º. que todos os Portuguezes pouco affecto á nossa Causa
seja logo deportado p.lo interior, e ahi com toda a segura
ca getido em reféns, para responderem pelas suas ...
pelas dos Brazileiros, q. se achão em Portugal.

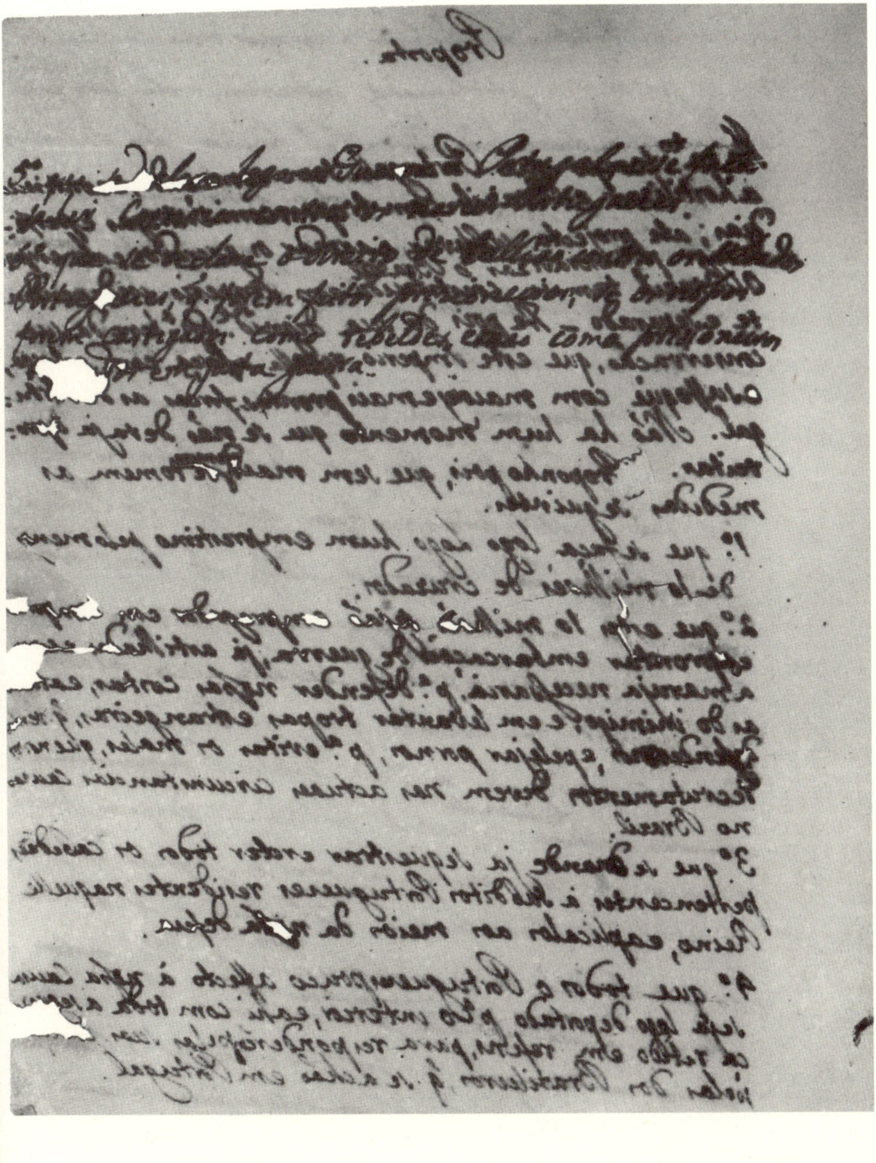

PROPOSTA

Há muito tempo que Portugal tem começado e continua a hostilizar o Brasil com tropas e com intrigas e perfídias; até projeta sublevar e armar os escravos; e abre empréstimos para escravizar o Brasil.

O Brasil tem-se constituído em Império independente e separado — É pois da sua dignidade e para bem da sua conservação, que este Império repila a força com a força, e sufoque com maiores e mais prontas forças as de Portugal. Não há um momento que se não deva já aproveitar. Proponho pois, que sem mais demoras se tomem as medidas seguintes.

1º que se faça logo logo um empréstimo pelo menos de 10 milhões de cruzados.

2º que estes 10 milhões sejam empregados em [palavra mutilada] e aprontar embarcações de guerra, já artilhadas e com a maruja necessária, para defender nossas costas, e atacar as do inimigo; e em levantar tropas estrangeiras, que venham defender-

-nos, e pelejar por nós, para evitar os males, que novos recrutamentos devem nas atuais circunstâncias causar no Brasil.

3º que se mande já sequestrar e reter todos os cabedais pertencentes a súditos Portugueses residentes naquele Reino, e aplicá-los aos meios da nossa defesa.

4º que todos o[s] Portugueses pouco afeito[s] à nossa Causa seja[m] logo deportado[s] para o interior, e aí, com toda a segurança retido[s] em reféns, para responderem pelas suas [palavra mutilada] pelas dos Brasileiros, que se acham em Portugal.

5º que se declare logo a Guerra a Portugal, e se faça sair Corsários contra os navios Portugueses.

6º que se declare o direito de talião contra os soldados Portugueses, que forem feitos prisioneiros, se os nossos forem castigados como rebeldes, e não como prisioneiros [palavra mutilada — capturados?] em justa guerra.

[Final de 1822-início de 1823]

AHI — lata 195, maço 6, pasta 13.

PARTE III

PORTUGAL

Panfleto 26

Obra nova intitulada

A entrada do Careca pela Barra

Tornaste a voltar, filho da Puta
Do Paiz das araras, e Coqueiros
Oh mal hajão os Bananas Brazileiros
Que vivo te deixarão nessa luta

Agora q.' Ulissea a paz disfruta
Agora q.' refaiz com Seos guerreiros
Não se precizão de Cheffes Estrangeiros
E menos de tão pessima Conducta

Visita a meretriz, e vai te embora
Tu lá tens em signal de gratidão
Cabedal q.' bem falta faz agora

Ah crê Bife, soberbo beberão
que exaltante tudo só por ti chora
A Lacerda, o Filhinho, e o Cabrão

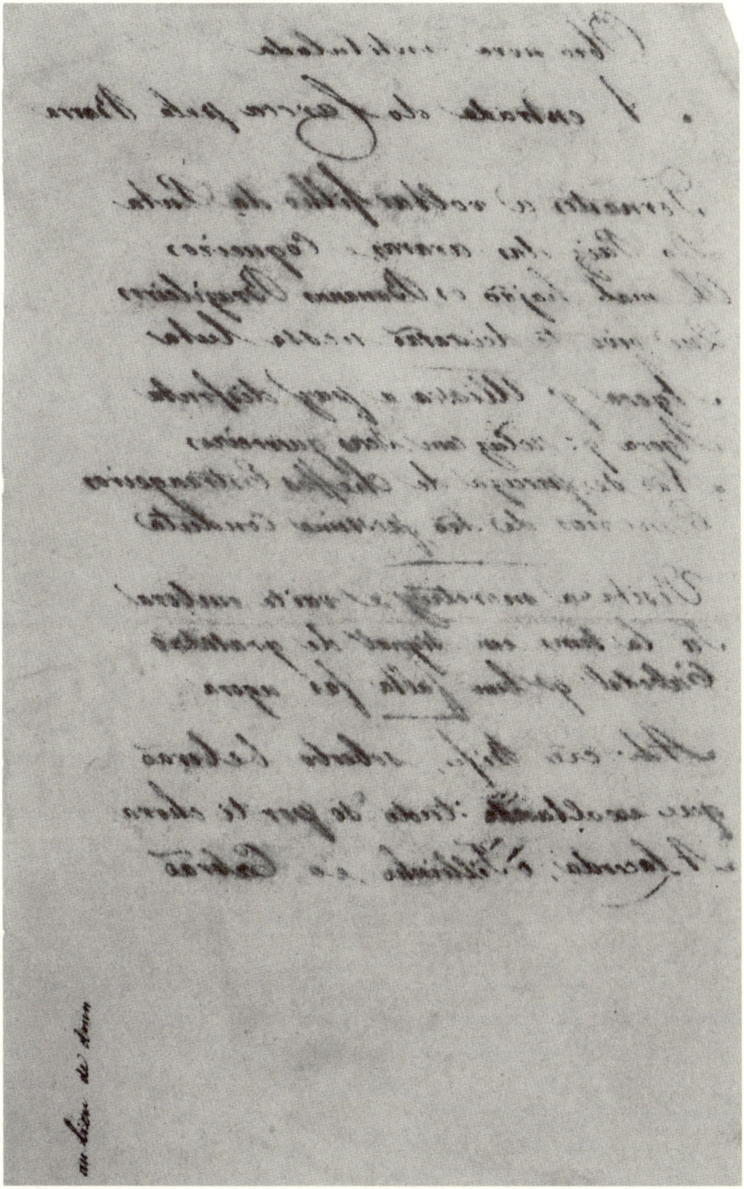

OBRA NOVA INTITULADA

A ENTRADA DO CARECA PELA BARRA[134]

Tornastes [sic] a voltar filho da Puta
Do País das araras, e coqueiros
Oh mal haja os Bananas Brasileiros
Que vivo te deixaram nessa luta

Agora que Ulisseia a paz desfruta
Agora que reluz com seus guerreiros

---

134. Trata-se, provavelmente, de William Carr Beresford (1768-1854). Militar
irlandês, comandou o Exército português na luta contra os franceses na península Ibérica depois da fuga da corte para o Brasil. Foi nomeado marechal do
Exército português em 1809 e marechal general em 1816, posição que lhe dava
grande poder perante a regência que governava o país. Tendo viajado ao Rio de
Janeiro em maio de 1820, regressou a Lisboa em 10 de outubro, depois da Revolução do Porto. Não lhe sendo permitido desembarcar, seguiu para a Inglaterra. Era careca e tinha o olho esquerdo vazado por um tiro.

Não se precisa de chefes Estrangeiros
E menos de tão péssima conduta

Visita a meretriz, e vai-te embora
Tu lá tens em sinal de gratidão
Cabedal que bem falta faz agora

Ah crê Bife, soberbo beberrão
que exaltando tudo só por ti chora
A Lacerda, o Filhinho e o Cabrão

[Out. 1820]

AHI — lata 195, maço 6, pasta 13.

PARTE IV
ORIGEM NÃO IDENTIFICADA

Panfleto 27

Illudido monarca os olhos abre
encara edescortina ovasto abismo,
q̃ doteu gabinete os vaós conselhos
por alargar aeccaõ noite edia

Vepara que aorigem dacrueza
augmenta mais, emais o teuprigo.
caça q̃ obatovil exasperava
cava m̃º melhor cheirozo balsamo.

Naõ he de pernambuco taõ só minte
oq̃ odeas crime, o mal abrange
dofamozo Brazil ocorpor inteivo
naõ creias possa haver Braziliena
que sedo veja com inxutos olhos
em ferros su Irmaõ Pernambucano.
Se omedo lhes mascara os sentimentos,
omedo tem limetes. e dos males
quando se enche armedida. furioza
arebenta. avingança etudo involve.

ai do Rei inseniato q̃ oprovoca.
q̃ podendo ter dopai onome odoce nome
prefere ser dospovos otirano

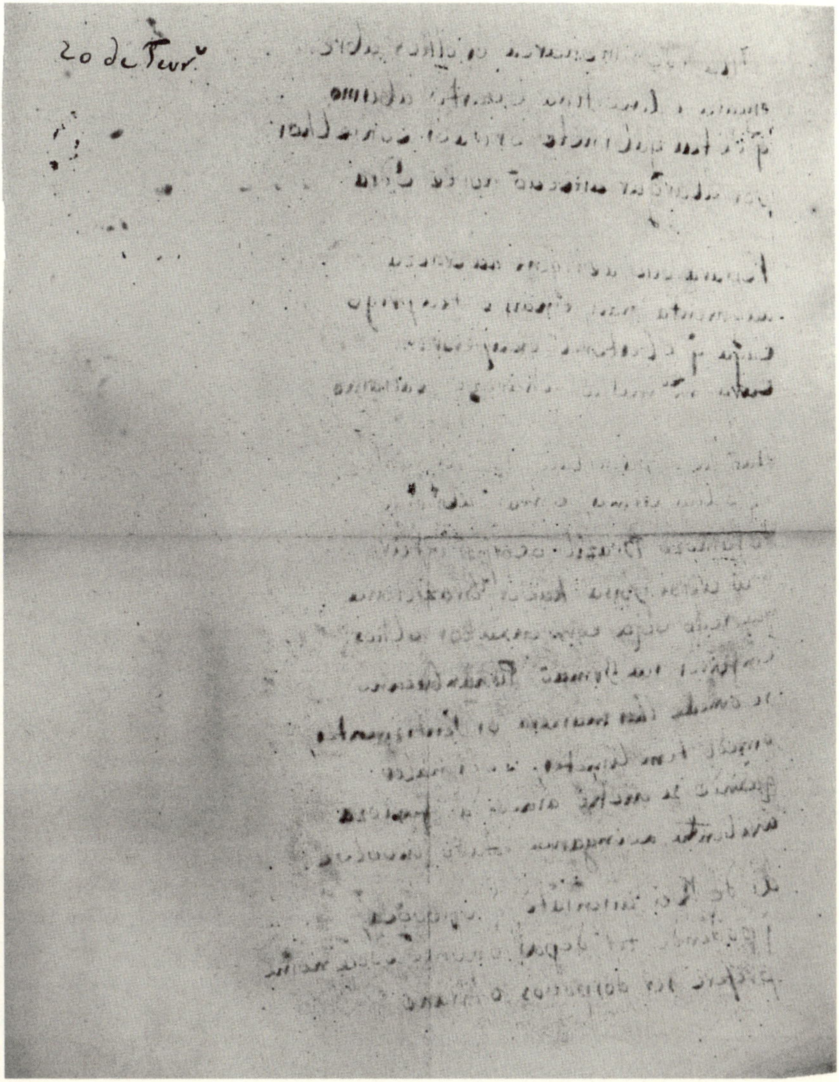
20 de Fevr.

ILUDIDO MONARCA os olhos abre
encara e descortina o vasto abismo
que do teu gabinete os vãos conselhos
por alargar a nação noite e dia

Repara que a origem da crueza
aumenta mais, e mais o teu prigo [perigo]
Caga que o Gesto vil exasperava
cura muito melhor cheiroso bálsamo

Não é de Pernambuco tão somente
o que odeias crimes, o mal abrange
do famoso Brasil o corpor [corpo] inteiro
não creias possa haver Brasiliana
que cedo veja com enxutos olhos
em ferros seu Irmão Pernambucano
se o medo lhes macera os sentimentos,
o medo tem limites; e dos males

quando se enche a medida; furiosa
arrebenta a vingança e tudo envolve.

Ai do Rei insensato, que o provoca,
que podendo ter de pai o nome o doce nome
prefere ser dos povos o tirano

20 de Fevereiro

20 fev. [1821]

AHI — lata 195, maço 6, pasta 13.

Panfleto 28

Aviso.

Pelo povo ao Rey, o poder he dado,
A povo portanto legislar compete,
S'àesti' aviso o Rey não cede,
A's armas cederá o seu poder inerte.

Da Nação o Rey não hi mais q'. Chefe,
Reconhecerão a Ley por ella importa.
Como he possivel então que o Rey dite?
Não! não! Cidadãos! ex a resposta!!

Viva o Rey que jurou
A sabia Constituição,
Que pelas Cortes for dada
Da Portugueza Nação.

AVISO

Pelo povo ao Rei, o poder é dado,
A[o] povo portanto legislar compete,
Se a este aviso o Rei não cede,
Às armas cederá o seu poder inerte.

Da Nação o Rei não é mais que Chefe,
Para executar a Lei por ela imposta.
Como é possível então que o Rei dite?
Não! não! Cidadãos! ex [eis] a resposta!!

Viva o Rei que jurar
A sábia Constituição,
Que pelas Cortes for dada
Da Portuguesa Nação.

[1821]

AHI — lata 195, maço 6, pasta 13.

Panfleto 29

Aviso

Pello Povo ao Rey o poder he dado;
Ao Povo p.r tanto legislar compete;
Se a este aviso o Rey não cede,
Ás Armas cederá o seu poder inerte.

Da Nação o Rey não he mais que Chefe,
Para executar a Ley por ella imposta:
Como he possivel então que o Rey a dite?
Não! não! Cidadãos ~~~ eis a resposta.

  Viva o Rey que jurar
  A sabia Constituição
  Que pelas Côrtes fôr dada
  Da Portugueza Nação

Como pode o Rey ao Povo dar a Ley
Se do Rey no Povo he o poder?
Aqui devem-..... ser the Rey;
O Rey sem ser Povo pode haver?

Convinha Rey, à todos moderados,
Que todos a huma guerra acabar
Chamar humvao deluev... Quantos fados,
Se queria tanto malla evitar.

Ao Povo compete dar a Ley
Ao Rey guarda executar.

COMO PODE O REI AO POVO DAR A LEI;
Se do Rei no Povo há o poder?
Pode haver Povo sem ter Rei;
E Rei sem ter Povo pode haver?

Demite, Rei, de ti esses malvados
Que de todo a Nação querem acabar
Chama homens de bem, desinteressados,
Se queres tantos males evitar.

Ao Povo compete dar a Lei
Ao Rei fazê-la executar.

[1821]

AHI — lata 195, maço 6, pasta 13.

Panfleto 30

Emo

Cuidesse em manter reyt.____ e depois do dexacoto nada
se pode remediar. Vão ispondo Oranienos, vão respondo
apressos, de repente troueremos as Orelhas sem remedio
        Atenda oatrivim.to = Viva a constituição,
e morrão todos aqueles q̃ não aprovarem = ja não é aquela
jurela dourada de nosso Amado e Bom Soberano
                    &c

        Não semconguira de onde veio, depois de janta
        maentregarão ____ Aqui jantou alguas peças
        e entre ellas dois Marechaes ——>

EXMO.

CUIDESSE [CUIDE-SE] EM MANTER RESPEITO — e depois do desacato nada se pode remediar. Vão se pondo os ânimos, vão se despondo as pessoas, e de repente trosseremos [torceremos?] as orelhas sem remédio.

Atenda o atrevimento — Viva a constituição, e morram todos aqueles que não aprovarem — já não é aquela pérola dourada do nosso Amado e Bom Soberano.

&c [etc.]

Não se me inquira de onde veio, depois de janta ma entregaram — Aqui jantou [sic] algumas pessoas e entre elas dois Marechais —

[1821]

AHI — lata 195, maço 6, pasta 13.

Panfleto 31

Hÿmno

He vossa dever
Leaes Luzitanos,
Amar os Soberanos
A Patria Salvar.— P. voz...

1 Fiel Patriotismo, ...
Da Tropa ...
Que ...
Veio salvar ...

2 ...
Vay caro gemendo,
As armas correndo
O foi resgatar.

3 Evós, ...
Conquistar a ...
... de captivos
Terras avastar?

4 O ..., não temais, ...
... ...
Que ... Reina Confirmou
... a Constituição.

5 Realisou nossa esperança
Contra os votos ...
Viváo os Luzos honrados
Reinando a Casa de Bragança

6 Astrea ...
... ...
A todos ventos ...
Luzos Império Constituir...

7. De humilde ... Justiça
   Mestre de a Religião,
   ... Paz e a ...
   Luiz Império de João.

8. Em lugar mais eminente
   ... em união
   ... Davide, que inspira
   ... Constituição

9. ... a ...
   Curando ...
   da ... Filho que ...
   ... Constituição.

10. Acordando, Acordando
    de quarmo, de exemplo,
    da Gloria ... Templo
    de tem ... lugar.

11. Viva o Herói Santo João,
    Rey ... unido de Portugal
    Viva o ... Principe Real,
    Viva a Nossa Constituição.

12. Valor, Liberdade ...
    Liberdade querida
    A custa da vida
    ... deve salvar... Por ver pelo

Por ver pela Pátria
o Sangue daremos
por glória só temos
viver, ou morrer.

HINO

É vossa divisa
Leais Lusitanos,
Amar os Soberanos
A Pátria salvar. — P. [Por] vós...

1 Fiel Patriotismo,... P. [Por]
   vós...
Da Tropa briosa
Que a Pátria ditosa
Veio Salvar

2 Herói Filho ouvindo
Pai caro gemendo,
As armas correndo
O Foi resgatar.

3 E vós, Lusos, que os
   Louros
Conquistais altivos,
Haveis de Cativos
Ferros arrastar?

4 Brasil, não temas, arvora
Do Luso Império pendão,
Que teu Rei já confirmou
A nossa Constituição.

5 Realizou nossa esperança
Contra os votos dos malvados;
Vivam os Lusos honrados
Reine a Casa de Bragança.

9. Prestando o juramento
Curvados beijem a Mão,
Do Pai, e Filho, que juram
A nossa Constituição

6 Astreia desça dos Céus
A Glória, Paz, união,
A todos venham ditar
Lúsio Império, Constituição.

10 Ao mundo servindo
De pasmo, e d'exemplo
Da Glória no Templo
Já temos lugar.

7 De um lado esteja justiça
D'outro lado Religião,
Firmando em Bases d'ouro
Luso Império de João.

11 Viva o herói Sexto João
Rei do Reino unido de Portugal,
Viva o jovem Príncipe Real
Viva a Nossa Constituição.

8 Em lugar mais eminente
Presida em união
Lei divina, que inspira
A nossa Constituição.

12 Valor, Lusitanos
Liberdade oprimida
À custa da vida
Se deve Salvar... P. [Por] vós pela

Por vós pela Pátria
O sangue daremos
Por glória só temos
vencer, ou morrer

[1821]

AHI — lata 195, maço 6, pasta 13.

Panfleto 32

Quadras.

1ª
Grande Rui, felis Monarcha,
Rijo e ditoso João:
Faze à tua, e nossa dicta,
Assigna a Constituição.

2ª
A mesma paz ao Brasil
Dá de si o Coração,
Não faças tua disgraça,
Assig—

3ª
Vê que se perder a furia
O Brasil perder então;
Não tens mais para onde fugir,
Assig—

4ª
Não queiras teus similhantes
Arrastrar sempre o grilhão,
Sê Rui pela metade,
Assig—

5ª
O valeroso Brasil
Ao Norte vê o Cherão,
Teme o seu disispeiro.
Assig—

6ª
As—

8ª
Este Mundo que abitas,
He de outra Geração;
Se m'elle queiras Reijnar,
Assig—

7ª
He muito tanto soffrer
Sempre em duras Cravidão,
Antes que os ferros quebrar,
Assig—

6ª
Este Novo Continente
Está todo em Convulção;
O teu mal he sem remedio,
Assig—

9ª
Abre os olhos, que hé tempo
De deixar á o Adulação,
Lembra te que és mortal,
Assig—

10ª
Essa Corja que té cerca
Urde a tua perdição,
Manda em Jora Corta toda
e Assigna a Constituição.

QUADRAS

1ª
Grande Rei, feliz Monarca,
Pio, e ditoso João;
Faze a tua, e nossa dita,
Assina a Constituição.

2ª
A mesma para o Brasil
Dai de leal coração,
Não faças tua desgraça,
Assina —

3ª
Vê que se perdes a Lísia
O Brasil perdes então;
Não tens mais p'ra onde fugir,
Assina —

4ª

Não queiras a teus semelhantes
Arrastrar sempre o grilhão,
Sê Rei pela metade,
Assina —

5ª

O valeroso Brasil
Ao Norte vê o clarão;
Teme o seu desespero,
Assina —

6ª

Este Mundo que habitas,
É de outra geração;
Se nele queiras Reinar,
Assina —

7ª

É muito tanto sofrer
Sempre em dura escravidão,
Antes que os ferros quebrem,
Assina —

8ª

Este rico continente
Está todo em convulsão;
O teu mal é sem remédio,
Assina —

9ª
Abre os olhos, que é tempo
De deixar a adulação,
Lembra-te que és mortal,
Assina —

10ª
Essa corja que te cerca
Urde a tua perdição,
Manda enforcá-la toda
Assina a Constituição.

[1822]

AHI — lata 195, maço 6, pasta 13.

Cronologia

1820

24 DE AGOSTO. A Revolução Liberal do Porto exige a constitucionalização do Reino Unido.

15 DE SETEMBRO. Adesão de Lisboa ao movimento constitucional do Porto.

17 DE OUTUBRO. Chegam ao Rio de Janeiro as primeiras notícias sobre a Revolução do Porto.

1821

1º DE JANEIRO. O pronunciamento do *Povo e tropa* no Grão-Pará adere à revolução constitucionalista portuguesa.

26 DE JANEIRO. Instalação das Cortes Gerais e Extraordinárias da nação portuguesa em Lisboa.

10 DE FEVEREIRO. Revolta militar em Salvador exige adesão ao movimento constitucional. Morrem um major e seis soldados. É aclamada e instalada a junta provisional de governo, composta pelos seguintes membros: desembargador Luís Manuel de Moura Cabral (presidente); deão Luís Fernandes

da Silva Freire, tenentes-coronéis Francisco de Paula e Oliveira, Francisco José Pereira e Manuel Pedro de Freitas Guimarães; Francisco Antônio Filgueiras, Paulo José de Melo Azevedo, José Antônio Rodrigues Viana, desembargador José Caetano de Paiva e bacharel José Lino Coutinho.

18 DE FEVEREIRO. Junta baiana pede ao governo português que mande tropas para eventual conflito com Pernambuco e Rio de Janeiro.

23 DE FEVEREIRO. Decreto de João VI cria a Comissão do Conselho Real para estudar as reformas necessárias para tratar das leis constitucionais e evitar a demora da chegada dos procuradores das províncias mais distantes convocados pelo decreto de 18 de fevereiro de 1821. Tais procuradores das Câmaras das cidades e vilas principais do reino do Brasil e das ilhas dos Açores, Madeira e Cabo Verde deveriam adaptar as leis constitucionais, que se discutiam em Lisboa, às realidades locais.

26 DE FEVEREIRO. O Rio de Janeiro, então sede do Reino Unido de Portugal, Brasil e Algarves, adere ao movimento constitucional.

3 DE MARÇO. Decreto de d. João VI mandando ser recolhidos à ilha de Santa Cruz os desembargadores do Paço Luiz José de Carvalho e Melo e João Severiano Maciel da Costa, como medida unicamente de segurança de suas pessoas, uma vez que na polícia constava estarem ameaçados de vida.

7 DE MARÇO. Decreto de d. João VI anunciando seu regresso a Portugal e a permanência de d. Pedro como regente do Reino do Brasil. Outro decreto convoca eleições para a escolha dos deputados brasileiros às Cortes de Lisboa, segundo o modelo da Constituição espanhola de 1812 (eleições indiretas, com sufrágio universal masculino).

16 DE MARÇO. Decreto de d. João VI que manda ficar sem efeito o decreto que mandou pôr em custódia os desembargadores

do Paço Luiz José de Carvalho e Melo e João Severiano Maciel da Costa e outros.

8 DE ABRIL. Eleição dos eleitores de paróquia no Rio de Janeiro.

21 E 22 DE ABRIL. A assembleia de eleitores de paróquia reunida na praça do Commercio, no Rio de Janeiro, para discutir as instruções deixadas pelo rei a d. Pedro, transforma-se em manifestação de protesto e em exigência de imediata adoção da Constituição espanhola (enquanto a portuguesa não fosse promulgada), da permanência da família real no Brasil, da nomeação, pela assembleia, de uma junta ou conselho de governo e da proibição de que qualquer embarcação saísse da barra sem autorização do novo governo. D. João resolve, a princípio, acatar a primeira reivindicação. Mas, no dia seguinte, anula a decisão e abre devassa para apurar os acontecimentos, depois de mandar as tropas dissolverem a assembleia (suspeitou-se que a ordem partira de d. Pedro), resultando do conflito vários mortos e feridos.

26 DE ABRIL. A corte de d. João VI parte para Portugal, deixando d. Pedro no Rio de Janeiro na condição de príncipe regente.

14 DE MAIO. Eleição dos eleitores de província no Rio de Janeiro.

20 DE MAIO. Eleição dos deputados do Rio de Janeiro para as Cortes de Lisboa. Foram escolhidos: o bacharel Luís Nicolau Fagundes Varela, o bacharel João Soares de Lemos Brandão, d. Francisco de Lemos Coutinho (bispo de Coimbra), o bispo d. José Joaquim de Azeredo Coutinho e o bacharel Luís Martins Bastos. Mais tarde, com o falecimento do bispo de Coimbra e de Azeredo Coutinho, assumiram o cargo de deputados ordinários o bacharel Custódio Gonçalves Ledo e o bacharel Francisco Vilela Barbosa.

5 DE JUNHO. *Bernarda* (motim) no Rio de Janeiro a favor da revolução constitucionalista por parte das tropas portuguesas da Divisão Auxiliadora, comandada pelo general Avilez. Reuni-

da no largo do Rocio, a tropa impõe a d. Pedro o juramento das bases da Constituição, a demissão do ministério e a nomeação de uma junta consultiva de governo.

21 DE JUNHO. A junta provisional da Bahia formaliza seu desligamento do governo do Rio de Janeiro, vinculando-se diretamente às Cortes de Lisboa.

28 DE AGOSTO. Abolição da censura prévia no Brasil.

3 DE SETEMBRO. Eleição dos deputados baianos às Cortes. Foram eleitos: Cipriano José Barata de Almeida, Alexandre Gomes Ferrão, Marcos Antônio de Sousa, Pedro Rodrigues Bandeira, José Lino Coutinho, Domingos Borges de Barros, Luís Paulino de Oliveira Pinto da França e Francisco Agostinho Gomes.

15 DE SETEMBRO. Publicação, no Rio de Janeiro, do primeiro número do jornal *Revérbero Constitucional Fluminense*, redigido pelos maçons Joaquim Gonçalves Ledo e Januário da Cunha Barbosa, que veio a ter papel preeminente na campanha em favor da independência.

29 DE SETEMBRO. Decretos das Cortes de Lisboa referendam ou mandam criar em cada província brasileira juntas provisórias de governo, subordinadas diretamente às Cortes; criam também nas províncias o cargo de governador das armas, independente das juntas e igualmente sujeito às Cortes; ordenam ainda o regresso de d. Pedro a Portugal.

3 DE NOVEMBRO. Tentativa, em Salvador, de deposição da junta submissa às Cortes e a d. João, com participação do coronel Felisberto Gomes Caldeira, primo do marechal Felisberto Caldeira Brant. Dezesseis cidadãos envolvidos são deportados para Lisboa.

9 DE DEZEMBRO. Carta régia nomeia o brigadeiro Inácio Luís Madeira de Melo governador das armas da Bahia.

24 DE DEZEMBRO. Representação da junta de São Paulo pede a d. Pedro que fique no Brasil.

1822

9 DE JANEIRO. D. Pedro, atendendo a manifesto com cerca de 8 mil assinaturas, redigido por frei Francisco de Sampaio, resolve permanecer no Brasil (dia do Fico), contrariando as ordens das Cortes de Lisboa.

11 DE JANEIRO. As tropas portuguesas da guarnição do Rio de Janeiro, comandadas pelo general Avilez, rebelam-se contra a decisão de d. Pedro de permanecer no Brasil e exigem seu regresso a Portugal. Cerca de 4 mil milicianos e cidadãos armados, sob a liderança do tenente-general Joaquim Xavier Curado, reagem em apoio ao príncipe regente e forçam a divisão portuguesa a depor as armas.

13 DE JANEIRO. Carta de lei extingue os tribunais criados no Brasil por d. João VI.

16 DE JANEIRO. D. Pedro forma seu primeiro ministério, composto por José Bonifácio de Andrada e Silva (ministro do Reino), Caetano Pinto de Miranda Montenegro (Fazenda e Justiça), Joaquim de Oliveira Álvares (Guerra) e Manuel Antônio Farinha, conde de Souzel (Marinha).

2 DE FEVEREIRO. Posse da junta de governo da Bahia, composta pelos seguintes membros: dr. Francisco Vicente Viana (presidente), desembargador Francisco Carneiro de Campos (secretário), Francisco Martins da Costa, Francisco Elesbão Pires de Carvalho e Albuquerque, cônego José Cardoso Pereira de Melo, tenente-coronel Manuel Inácio da Cunha Menezes, desembargador Antônio da Silva Teles e brigadeiro Manuel Pedro.

15 DE FEVEREIRO. Banidas do país, partem do Rio de Janeiro para Lisboa as tropas portuguesas do general Avilez.
Chega a Salvador a carta régia de 9 de dezembro de 1821, nomeando Madeira de Melo comandante das armas.

16 DE FEVEREIRO. Decreto de d. Pedro convoca o Conselho de Procuradores das Províncias, escolhidos pelos eleitores de paró-

quia. A ideia surgiu na loja maçônica Grande Oriente do Brasil por iniciativa de Joaquim Gonçalves Ledo, José Clemente Pereira, Januário da Cunha Barbosa e Luís Pereira da Nóbrega, e deu origem ao projeto de José Clemente Pereira aprovado no Senado da Câmara do Rio de Janeiro no dia 8 de fevereiro.

Na Bahia, tropas portuguesas do Regimento número 12, da Legião Constitucional Lusitana e das fortalezas de Santo Antônio Além do Carmo e do Barbalho amanhecem de prontidão. Em reação, oficiais brasileiros de linha e milícias coletam assinaturas para representação ao Senado da Câmara contra a posse de Madeira de Melo, pedindo que fossem consultadas as câmaras do interior e a consulta enviada às Cortes. A representação foi redigida pelo advogado Francisco Gomes Brandão Montezuma (que mais tarde passou a se chamar Francisco Gê Acaiaba de Montezuma), formado em Coimbra e redator do *Diário Constitucional*.

17 DE FEVEREIRO. A junta de governo da Bahia reúne-se para aprovar a nomeação de Madeira de Melo e propõe ao brigadeiro Manuel Pedro de Freitas Guimarães, governador de armas interino, que aceite a nomeação. À tarde, a junta reúne-se com Madeira de Melo.

18 DE FEVEREIRO. Em nova reunião com 53 autoridades militares, civis e eclesiásticas, a junta aceita Madeira de Melo como governador das armas. Aprova também a criação de uma junta militar de sete membros presidida por Madeira de Melo, composta de Freitas Guimarães e quatro outras pessoas indicadas pelos dois, ficando uma a ser sorteada, que governaria até que o rei e as Cortes decidissem qual dos dois brigadeiros deveria ser efetivado. No centro da cidade, caixeiros portugueses gritavam "Fora a Câmara! Morra Manuel Pedro!". À tarde, espalhando-se a notícia de que o forte de São

Pedro seria atacado por tropas portuguesas, o contingente brasileiro do quartel da Mouraria para lá se dirige, acompanhado de cerca de quinhentos milicianos e civis.

19 E 20 DE FEVEREIRO. Combates em Salvador entre os partidários de Freitas Guimarães e de Madeira de Melo. Na madrugada, o regimento português de número 12 cerca o forte de São Pedro e intima seus defensores a abandonar a posição. Entre os sitiados estava Francisco Sabino da Rocha Vieira, futuro líder da Sabinada, cirurgião mor da Legião de Caçadores. Ao mesmo tempo, as tropas portuguesas tomam o trem militar e os quartéis da Palma e da Mouraria. Na sequência dos eventos, já no dia 20, marinheiros portugueses desembarcados e caixeiros invadem e saqueiam casas. Entre os alvos, está o convento de Nossa Senhora da Conceição da Lapa, vizinho ao quartel da Mouraria, onde ferem mortalmente a golpes de baioneta a abadessa Joana Angélica. Nesse mesmo dia, o grosso da guarnição do forte de São Pedro evade-se, seu comandante Freitas Guimarães rende-se e a cidade é completamente dominada pelas tropas lusas, calculadas em 1600 homens. Morreram nos combates entre duzentas e trezentas pessoas.

22 DE FEVEREIRO. Declaração de 848 comerciantes, proprietários e militares de Salvador a favor de Madeira de Melo e contra a adesão a d. Pedro.

2 DE MARÇO. A Câmara de Salvador reconhece a legitimidade da nomeação de Madeira de Melo.

16 DE MARÇO. Representação da Câmara de Salvador ao rei e às Cortes solicita a retirada da Legião Constitucional Lusitana.

17 DE MARÇO. O brigadeiro Freitas Guimarães é mandado para Portugal no navio *São Gualter*.

26 DE MARÇO. Com aprovação da Câmara de Salvador e sob o aplauso de comerciantes e caixeiros portugueses, desembar-

cam na Bahia 166 soldados das tropas do general Avilez para reforçar o efetivo do general Madeira. Famílias e soldados brasileiros começam a abandonar a cidade em direção ao Recôncavo.

30 DE ABRIL. No Rio de Janeiro, Gonçalves Ledo e Januário da Cunha Barbosa propõem, no *Revérbero Constitucional Fluminense*, pela primeira vez de forma explícita, a criação de um império exclusivamente brasileiro.

13 DE MAIO. D. Pedro aceita o título de defensor perpétuo do Brasil, oferecido pelo Senado da Câmara do Rio de Janeiro com o fim de legitimar o poder do príncipe regente pela vontade popular (e não mais apenas pela hereditariedade ou por delegação das Cortes).

21 DE MAIO. Para articular o apoio da província a d. Pedro, baianos organizam no Rio de Janeiro missa fúnebre pelos companheiros mortos nos combates de fevereiro. A cerimônia teve frei Sampaio como orador e a presença de d. Pedro. Três dias depois, os organizadores são recebidos em audiência pelo príncipe regente.

23 DE MAIO. O presidente do Senado da Câmara do Rio de Janeiro, José Clemente Pereira, entrega uma representação a d. Pedro, com 2982 assinaturas, pedindo a convocação de uma assembleia geral das províncias do Brasil, a ser eleita por voto popular, com poderes legislativos e constitucionais para adaptar ao Brasil a Constituição portuguesa.

1º DE JUNHO. Decreto de d. Pedro convoca para o dia seguinte o Conselho de Procuradores das Províncias.

2 DE JUNHO. Primeira reunião do Conselho de Procuradores das Províncias. Inauguração da sociedade secreta Apostolado da Nobre Ordem dos Cavaleiros da Santa Cruz, composta por cem membros e liderada por José Bonifácio.

3 DE JUNHO. O Conselho de Procuradores das Províncias requer a d. Pedro a convocação de uma assembleia geral das províncias do Brasil. No mesmo dia, o príncipe regente atende ao pedido, convocando uma assembleia geral constituinte e legislativa, com a finalidade de elaborar uma constituição própria do Brasil.

14 DE JUNHO. A vila de Santo Amaro, no Recôncavo baiano, respondendo a questionário dos deputados baianos nas Cortes, declara-se favorável a um governo único no Brasil sob a chefia de d. Pedro.

15 DE JUNHO. D. Pedro, em carta, ordena a Madeira de Melo que se retire para Portugal.

17 DE JUNHO. D. Pedro lança a *Proclamação* aos baianos. Convida-os a aderirem à "independência moderada" do Brasil.

19 DE JUNHO. Instruções assinadas pelo ministro José Bonifácio decretam eleições indiretas para a escolha dos cem deputados que iriam compor a Assembleia Constituinte.

25 DE JUNHO. A Câmara da vila de Cachoeira, na Bahia, subleva-se contra o general Madeira de Melo e aclama d. Pedro regente e perpétuo defensor e protetor do Reino do Brasil. A ata de vereança é redigida por Antônio Pereira Rebouças. Uma canhoneira portuguesa atira sobre a cidade. É o início da Guerra de Independência na Bahia.

26 DE JUNHO. É instalada uma junta interina conciliatória e de defesa na vila de Cachoeira, presidida por Antônio Teixeira de Freitas Barbosa e secretariada por Antônio Pereira Rebouças, futuro pai de André Rebouças.

29 DE JUNHO. A vila de São Francisco do Conde reconhece d. Pedro. O mesmo faz a Câmara de Maragogipe. Seguem-nas outras vilas.

6 DE JULHO. Chegam a Cachoeira o tenente-coronel Felisberto Gomes Caldeira, primo do marechal Felisberto Caldeira Brant

Pontes, e Miguel Calmon du Pin e Almeida. Promovem a criação de uma comissão administrativa de caixa militar, com jurisdição sobre todas as vilas rebeladas. Começa a formação de batalhões de voluntários.

14 DE JULHO. Sai do Rio de Janeiro, em apoio aos rebeldes da Bahia, a Expedição Auxiliadora, comandada pelo general Pierre Labatut, ex-oficial do Exército de Napoleão. Compunha-se de uma fragata, duas corvetas e um brigue, tripulados por 38 oficiais e 260 soldados.

1º DE AGOSTO. Decreto de d. Pedro declara inimigas as tropas que viessem a ser mandadas de Portugal para o Brasil sem seu consentimento. Lançamento do *Manifesto aos povos deste Reino*, redigido por Gonçalves Ledo e assinado por d. Pedro, que convoca as províncias à união e fala abertamente em independência política, mantendo vínculos fraternais com Portugal.

6 DE AGOSTO. Lançamento do *Manifesto aos governos e nações amigas*, redigido por José Bonifácio e assinado por d. Pedro, no qual este já se apresenta como chefe de uma nação independente, mantendo a mesma dubiedade quanto aos vínculos com Portugal.

7 DE AGOSTO. Chegam a Salvador 750 soldados portugueses.

20 DE AGOSTO. Em discurso feito no Grande Oriente, Gonçalves Ledo declara que era chegada a hora de se proclamar a independência do Brasil.

21 DE AGOSTO. O general Labatut desembarca em Jaraguá (Alagoas) com as tropas provenientes do Rio de Janeiro.

FINAL DE AGOSTO. José Bonifácio envia um emissário a Salvador para propor a Madeira de Melo renunciar a seu posto e voltar a Portugal, em troca de promoção a tenente-general do Exército do Reino do Brasil e de uma quantia de cem contos de réis.

4 DE SETEMBRO. Labatut parte do Recife para a Bahia com força acrescida de 250 soldados pernambucanos.

6 DE SETEMBRO. É criado em Cachoeira um conselho superior interino de governo, com a pretensão de exercer autoridade sobre toda a província.

7 DE SETEMBRO. Em reação a resoluções das Cortes que determinavam seu regresso a Portugal, a nomeação de ministros e secretários de governo pelas Cortes e a abertura de processo contra os que estiveram à frente do movimento a favor do "Fico", d. Pedro proclama em São Paulo, às margens do Ipiranga, a independência do Brasil (a data só foi oficialmente reconhecida quase um ano depois).

9 DE SETEMBRO. Em reunião no Grande Oriente, Gonçalves Ledo apresenta moção a favor da proclamação da independência do Brasil.

14 DE SETEMBRO. D. Pedro volta ao Rio de Janeiro.

18 DE SETEMBRO. Decreto cria a bandeira e o escudo de armas do Império do Brasil.

22 DE SETEMBRO. Eleição dos deputados à Assembleia Constituinte pela província do Rio de Janeiro. Os escolhidos foram: José Caetano da Silva Coutinho, José Egidio Álvares de Almeida (marquês de Santo Amaro), Manuel Jacinto Nogueira da Gama (marquês de Baependi), José Joaquim Carneiro de Campos (marquês de Caravelas), Martim Francisco Ribeiro de Andrada, Antônio Luís Pereira da Cunha (marquês de Inhambupe), Jacinto Furtado de Mendonça e Manuel José de Sousa França.

Instalação, na vila de Cachoeira, do conselho interino do governo da província da Bahia, formado pelos deputados que tinham aderido a d. Pedro. A presidência coube ao capitão-mor Francisco Elesbão Pires de Carvalho e Albuquerque, tendo como secretário Francisco Gomes Brandão Montezuma.

23 DE SETEMBRO. Assinatura da Constituição da monarquia portuguesa promulgada pelas Cortes. Foram signatários 36 dos 46 representantes das províncias brasileiras, entre os quais os deputados do Rio de Janeiro Custódio Gonçalves Ledo, Francisco Vilela Barbosa, João Soares de Lemos Brandão, Luís Martins Bastos e Luís Nicolau Fagundes Varela; e os representantes da Bahia Alexandre Gomes Ferrão, José Lino Coutinho, Marcos Antonio de Sousa, Pedro Rodrigues Bandeira e Domingos Borges de Barros. Dos dez deputados brasileiros que não assinaram a Constituição, nenhum era do Rio de Janeiro e três representavam a Bahia: Cipriano Barata, Francisco Agostinho Gomes e Luís Paulino Pinto de França. Este último pretendeu assinar a Constituição em 26 de setembro, alegando atraso do correio na convocação dos deputados, mas não obteve permissão por ter expirado o prazo.

30 DE SETEMBRO. Os deputados, que ainda não tinham conhecimento da proclamação da independência do Brasil, juram a Constituição da Monarquia Portuguesa. Treze representantes brasileiros recusam-se a jurá-la, cinco deles da Bahia: Cipriano Barata, Francisco Agostinho Gomes, José Lino Coutinho, Pedro Rodrigues Bandeira e Luís Paulino Pinto de França.

4 DE OUTUBRO. Juramento de d. Pedro como grão-mestre da Maçonaria, sob o pseudônimo de Guatimozim.

12 DE OUTUBRO. No campo de Santana, no Rio de Janeiro, d. Pedro é aclamado imperador constitucional do Brasil, título sugerido por Domingos Alves Branco, em sessão no Grande Oriente.

15 DE OUTUBRO. Sob pressão do ministro José Bonifácio, sai de circulação o jornal *Revérbero Constitucional Fluminense*, o mesmo acontecendo, seis dias depois, com o *Correio do Rio de*

Janeiro, redigido por João Soares Lisboa. É o início da repressão contra o grupo de Gonçalves Ledo, rival dos Andrada.

25 DE OUTUBRO. Aconselhado por José Bonifácio, d. Pedro suspende temporariamente o Grande Oriente e outras lojas maçônicas. Ao mesmo tempo, José Clemente Pereira é pressionado a deixar a presidência do Senado da Câmara do Rio de Janeiro.

Labatut chega a Inhambupe, na Bahia.

27 DE OUTUBRO. D. Pedro aceita a demissão pedida por José Bonifácio e por Martim Francisco do ministério. Dois dias depois, atendendo a diversas representações, reintegra os Andrada no ministério.

29 DE OUTUBRO. Labatut intima Madeira de Melo a se render.

31 DE OUTUBRO. Sob aplausos dos comerciantes portugueses, chegam a Salvador dez navios de guerra portugueses trazendo reforços para Madeira de Melo.

2 DE NOVEMBRO. É instalada devassa contra Luís Pereira da Nóbrega, Clemente Pereira, Januário da Cunha Barbosa, Gonçalves Ledo, Alves Branco, Soares Lisboa, Pedro da Costa Barros e padre Lessa, acusados de republicanismo, perturbação da ordem e conspiração contra o governo.

3 DE NOVEMBRO. Acampado em Pirajá, Labatut organiza o Exército de Libertação da Bahia.

8 DE NOVEMBRO. Combates conhecidos como a batalha de Pirajá, a duas léguas da capital da província, ganhos pelas tropas brasileiras contra os soldados de Madeira de Melo.

1º DE DEZEMBRO. Sagração e coroação do imperador d. Pedro I na igreja de Nossa Senhora do Carmo, no Rio de Janeiro.

20 DE DEZEMBRO. Condenados na devassa de 2 de novembro, são deportados para a França José Clemente Pereira, Januário da Cunha Barbosa e Luís Pereira da Nóbrega; também condenado, Gonçalves Ledo consegue fugir para Buenos Aires.

29 DE DEZEMBRO. Na cidade da Bahia, sitiada pelas forças de Labatut, as tropas de Madeira prestam juramento à Constituição portuguesa.

1823

7, 8 E 9 DE JANEIRO. Ataques fracassados dos portugueses à ilha de Itaparica.

28 DE FEVEREIRO. Desembarcam em Jaraguá (Alagoas) tropas brasileiras destinadas a atacar as forças do general Madeira, na Bahia.

6 DE MARÇO. O conselho interino, em Cachoeira, declara que Labatut é apenas general do Exército reunido para combater as tropas portuguesas, negando-lhe o título de governador de armas.

1º DE ABRIL. Sai do Rio de Janeiro em direção à Bahia uma esquadra de sete navios — uma nau, duas fragatas (uma delas seguiu logo depois), duas corvetas e dois brigues —, comandada por lorde Cochrane, nomeado primeiro almirante da Marinha do Brasil e titulado marquês do Maranhão.

1º DE MAIO. Chega à Bahia a esquadra de Cochrane.

3 DE MAIO. Abertura da Assembleia Geral Constituinte e Legislativa do Império do Brasil pelo imperador Pedro I.

4 DE MAIO. Combate entre as esquadras brasileira e portuguesa no litoral baiano, sem resultado definido. No combate, a marinhagem portuguesa da esquadra brasileira desobedece às ordens de Cochrane.

8 DE MAIO. Madeira de Melo declara Salvador praça de guerra em estado de sítio e assume plenos poderes.

21 DE MAIO. Prisão de Labatut por oficiais brasileiros, entre os quais o tenente do batalhão do imperador, Luís Alves de Lima e Silva, futuro duque de Caxias.

23 DE MAIO. O conselho interino nomeia o coronel José Joaquim de Lima e Silva, tio de Luís Alves, vindo na esquadra de Cochrane, comandante em chefe do Exército, em substituição a Labatut.

27 DE MAIO. O golpe de Vila Francada, em Portugal, fecha as Cortes e restabelece o absolutismo no país.

28 DE MAIO. Ordem do dia do coronel Lima e Silva reorganiza o Exército. Proclamação do mesmo coronel aos portugueses da Bahia conclama-os à rendição e oferece garantias.

3 DE JUNHO. Combates com tropas portuguesas ordenados por Lima e Silva.

12 DE JUNHO. A invasão da baía de Todos os Santos, comandada por Cochrane, fracassa pela falta de ventos.

15 DE JUNHO. A junta baiana nomeada por d. João VI em 12 de abril toma posse.

23 DE JUNHO. Toma posse, em Cachoeira, a junta provisória nomeada por d. Pedro I em 5 de dezembro de 1822.

24 DE JUNHO. Proclamação de Lima e Silva tranquiliza a população de Salvador.

2 DE JULHO. Com a cidade sitiada e bloqueada, Madeira de Melo decide abandoná-la. Transpõe a barra com cerca de 4520 homens transportados em dezessete navios de guerra e setenta transportes. É perseguido de início por Cochrane, depois pelo capitão Taylor, que o segue até a embocadura do Tejo, fazendo várias presas. A data marca oficialmente a independência da Bahia e sua adesão ao Império do Brasil.

Fontes e bibliografia

FONTES MANUSCRITAS

Arquivo Histórico do Itamaraty

Coleções Especiais. Documentação do Ministério anterior a 1822. Independência. Capitania da Bahia. Lata 195, maço 1, pastas 5 e 7.

Coleções Especiais. Documentação do Ministério anterior a 1822. Independência. Capitania do Rio de Janeiro. Lata 195, maço 6, pasta 2.

Coleções Especiais. Documentação do Ministério anterior a 1822. Independência. Diversos. Lata 195, maço 6, pasta 13.

Coleções Especiais. Documentação do Ministério anterior a 1822. Independência. Diversos. Documentos avulsos. Lata 204, maço 2, pasta 17.

Fundação Biblioteca Nacional do Rio de Janeiro

Divisão de Manuscritos
Coleção de Documentos Biográficos
II — 34, 20, 19: Cópia autêntica das atas da junta eleitoral da província do Rio de Janeiro formada para nomear os deputados que pela mesma província devem representar nas Cortes da nação portuguesa. 1821.

II — 33, 22, 54: Cartas de C. de Geine ao intendente da Polícia. 28 jan. 1821.

Biblioteca Nacional de Lisboa

Seção de Reservados
Cód. 10759: Relação dos acontecimentos do Rio de Janeiro no dia 26 de fevereiro de 1821 e seus antecedentes. Rio de Janeiro, jul. 1821.

Instituto Histórico e Geográfico Brasileiro

Dl. 345.17. Emílio Joaquim da Silva Maia. *Estudos históricos sobre Portugal e Brasil*. Estudo xviii. Relação dos successos effetuados na Bahia no dia 10 de fevereiro de 1821.

FONTES IMPRESSAS

Periódicos

BAHIA. *O Constitucional*. 1822.
BAHIA. *O Diário Constitucional*. 1822.
BAHIA. *Idade d'Ouro do Brasil*. 1821-3.
BAHIA. *Semanário Cívico*. Set. 1822.
RIO DE JANEIRO. *O Espelho*. 1821-3.
RIO DE JANEIRO. *Gazeta do Rio de Janeiro*. 1820-3.
RIO DE JANEIRO. *Revérbero Constitucional Fluminense*. 1821-2.

Diversas

ALMANAQUE DO RIO DE JANEIRO PARA O ANO DE 1817. *RIHGB*. Rio de Janeiro,
270: 211-370, jan./mar. 1966.
BRASIL. *Colleção das Leis do Brasil, 1821*. Rio de Janeiro: Imp. Nacional, 1821.
_____. *Documentos para a história da Independência*. Rio de Janeiro: Officinas
Graphicas da Biblioteca Nacional, 1923. v. 1.
FAORO, Raymundo (Intr.). *O debate político no processo da Independência*. Rio de
Janeiro: Conselho Federal de Cultura, 1973.
FRANÇA, Antonio Pinto da; CARDOSO, Antonio Monteiro (Orgs.). *Cartas baianas
(1821-1824): Subsídios para o estudo da opção da independência brasileira*.
Sao Paulo: Companhia Editora Nacional, 2009.

MARROCOS, Luiz Joaquim dos Santos. *Cartas escritas do Rio de Janeiro: 1811 a 1821*. Lisboa: Biblioteca Nacional de Portugal, 2008.

MELO, Jeronymo de A. Figueira de. (Org.). *A correspondência do Barão Wenzel de Marschal. Revista do Instituto Histórico e Geográfico Brasileiro*. Rio de Janeiro, 77: 165-244, 1914.

_____ (Org.). *A correspondência do Barão Wenzel de Marschal. Revista do Instituto Histórico e Geográfico Brasileiro*. Rio de Janeiro, 80: 5-148, 1916.

MIRANDA, José Antonio. *Memoria constitucional e politica sobre o estado presente de Portugal, e do Brasil; dirigida a Elrey nosso senhor, e offerecida a Sua Alteza o Principe Real do Reino Unido de Portugal Brasil e Algarves, e regente do Brasil, por ..., fidalgo cavalleiro da Caza de Sua Magestade, e ouvidor, eleito do Rio Grande do Sul*. Rio de Janeiro: Typographia Regia, 1821.

PORTUGAL. *Diário das Cortes Geraes e Extraordinárias da nação portuguesa (1821-2)*. Lisboa, 1821-2.

_____. *Participação e documentos dirigidos ao Governo pelo general comandante da tropa expedicionaria que existia na provincia do Rio de Janeiro, chegando á Lisboa e remettidos pelo Governo ás Cortes Geraes, Extraordinarias e Constituintes da Nação portuguesa*. Lisboa: Imp. Nacional, 1822.

SIERRA Y MARISCAL, Francisco de. "Ideas geraes sobre a revolução do Brazil e suas consequencias". *Anais da Biblioteca Nacional*. Rio de Janeiro, 43/44: 49-81, 1931.

Dicionários

BLAKE, Augusto Victorino Alves Sacramento. *Diccionário Bibliográfico Brazileiro*. Rio de Janeiro: Imp. Nacional, 1883-1902. 7 v. (Ed. fac-sim.: Conselho Federal de Cultura, 1970.)

SILVA, Antonio de Moraes. *Diccionario da lingua portugueza recopilado dos vocabularios impressos até agora, e nesta segunda edição novamente emendado, e muito accrescentado*. Rio de Janeiro: Oficinas da S. A. Litho-Typographia Fluminense, 1922. 2 v. (Ed. fac-sim. da 2. ed., de 1813.)

SILVA, Innocencio Francisco da. *Diccionario bibliographico portuguez*. Lisboa: Imp. Nacional, 1858-1914.

Livros

ALEXANDRE, Valentim. *Os sentidos do império: Questão nacional e questão colonial na crise do Antigo Regime português*. Porto: Afrontamento, 1993.

AMARAL, Braz do. *História da independência na Bahia*. Salvador: Livraria Progresso Editora, 1957.

ARMITAGE, David. *Declaração de Independência: Uma história global*. São Paulo: Companhia das Letras, 2011.

BAECQUE, Antoine de. "Panfletos: libelo e mitologia política". In: DARNTON, Robert; ROCHE, Daniel (Orgs.). *Revolução impressa: A imprensa na França, 1775-1800*. São Paulo: Edusp, 1996.

BAENA, Antonio Ladislau Monteiro. *Compêndio das eras da província do Pará*. Pará: Universidade Federal do Pará, 1969.

BAEZA, Rafael Segredo (Org.). *De la colónia a la república: Los catecismos políticos americanos, 1811-1827*. Madrid: Fundación Mapfre; Doce Calles, 2009.

BAYLYN, Bernard. *As origens ideológicas da revolução americana*. Bauru: Edusc, 2003.

BEURDELEY, Paul. *Les Catéchismes révolutionnaires: Étude historique & pédagogique sur la morale civique*. Paris: Adamant Media Corporation, 2001.

CABRAL, Alfredo do Valle. *Annaes da Imprensa Nacional do Rio de Janeiro: 1808-1822*. Rio de Janeiro: Tip. Nacional, 1881.

CALHOUN, Craig (Ed.). *Habermas and the public sphere*. Cambridge (Mass.): MIT Press, 1997.

CARVALHO, José Murilo de; NEVES, Lúcia Maria Bastos Pereira das; BASILE, Marcello Otávio. "Documentação política, 1808-1840". In: PEREIRA, Paulo Roberto (Org.). *Brasiliana da Biblioteca Nacional: Guia das fontes sobre o Brasil*. Rio de Janeiro: Fundação Biblioteca Nacional; Nova Fronteira, 2001.

COELHO, Geraldo Mártires. *Anarquistas, demagogos & dissidentes: A imprensa liberal no Pará de 1822*. Belém: Cejup, 1993.

D'ALCOCHETE, Nuno Daupiás. "Les Pamphlets portugais anti-napoléoniens". *Arquivos do Centro Cultural Português*. Paris, 11: 7-16, 1978.

FARGE, Arlette. *Dire et Mal Dire: l'Opinion publique au XVIIIe siècle*. Paris: Seuil, 1992.

FURET, François; OZOUF, Jacques. "Trois Siécles de métissage culturel". *Annales: Economies, Sociétés, Civilisations*. Paris, 32 (3): 488-502, maio/jun. 1977.

GUERRA, François-Xavier. *Modernidad e independencias: Ensayos sobre las revoluciones hispánicas*. México: Mapfre; Fondo de Cultura Económica, 1992.

_____ et al. *Los espacios públicos en Iberoamerica: Ambigüedades y problemas, siglos XVIII-XIX*. México: Fondo de Cultura Económica, 1998.

GOODY, Jack; WATT, Ian. *As consequências do letramento*. São Paulo: Paulistana, 2006.

HABERMAS, Jürgen. *L'Espace public: Archéologie de la publicité comme dimension constitutive de la société bourgeoise*. Paris: Payot, 1993.

HILL, Christopher. *O mundo de ponta-cabeça: Ideias radicais durante a Revolução Inglesa de 1640*. São Paulo: Companhia das Letras, 1987.

HORCH, Rosemarie Erika. *Cartas dos compadres de Belém e de Lisboa*. (Transcrição dos textos originais na íntegra). São Paulo: [Revista de História], 1977.

JANCSÓ, István (Org.). *Independência: História e historiografia*. São Paulo: Fapesp; Hucitec, 2005.

[JAVARI, barão de]. *Organizações e programas ministeriais: Regime parlamentar no Império*. 2. ed. Rio de Janeiro: Arquivo Nacional, 1962.

JOUHAUD, Christian. *Mazarinades: La Fronde des mots*. Paris: Aubier, 1983.

KOSELLECK, Reinhart. *Crítica e crise: Uma contribuição à patogênese do mundo burguês*. Rio de Janeiro: Eduerj; Contraponto, 1999.

KRAAY, Hendrik. *Política racial, Estado e Forças Armadas na época da Independência: Bahia, 1790-1850*. São Paulo: Hucitec, 2011.

LAGO, Laurênio. *Brigadeiros e generais de d. João VI e Pedro I no Brasil: Dados biográficos, 1808-1831*. Rio de Janeiro: Imprensa Militar, 1938.

LIMA, Oliveira. *O movimento da Independência: 1821-1822*. Belo Horizonte: Itatiaia, 1989.

LYRA, Maria de Lourdes Viana. *A utopia do poderoso império: Portugal e Brasil: bastidores da política, 1798-1822*. Rio de Janeiro: Sette Letras, 1994.

MORAES, Rubens Borba; CAMARGO, Ana Maria de Almeida. *Bibliografia da Impressão Régia do Rio de Janeiro*. São Paulo: Edusp; Kosmos, 1993. 2 v.

NEVES, Lúcia Maria Bastos Pereira das. *Corcundas e constitucionais: A cultura política da Independência (1820-1822)*. Rio de Janeiro: Revan; Faperj, 2003.

_____. *Napoleão Bonaparte: Imaginário e política em Portugal (c. 1808-1810)*. São Paulo: Alameda, 2008.

OLIVEIRA, Cecília Helena Lorenzini de Salles. *O disfarce do anonimato: O debate político através dos folhetos (1820-1822)*. São Paulo: FFLCH-USP, 1979. Dissertação de mestrado em História Social.

_____. "Na querela dos folhetos: O anonimato dos autores e a supressão de questões sociais". *Revista de História da USP*. São Paulo, n. 116, 1984.

_____. *A astúcia liberal: Relações de mercado e projetos políticos no Rio de Janeiro (1820-1824)*. São Paulo: CEDAPH, 1999.

RAYMOND, Joad. *Pamphlets and Panphleteering in Early Modern Britain*. Cambridge: Cambridge University Press, 2003.

RAYOL, Domingos Antônio. *Motins políticos ou História dos principais acontecimentos políticos da província do Pará desde o ano de 1821 até 1835*. v. 1. Belém: Universidade Federal do Pará, 1970.

RIBEIRO, Gladys Sabina. *A liberdade em construção: Identidade nacional e conflitos antilusitanos no Primeiro Reinado*. Rio de Janciro: Relume Dumará, 2002.

RIVERA, José Antonio Aguilar. "Vicente Rocafuerte, los panfletos y la invención de la república hispanoamericana, 1821-1823". In: ALONSO, Paula (Comp.). *Construcciones impresas: Panfletos, diarios y revistas en la formación de los Estados nacionales en América Latina, 1820-1920*. Buenos Aires: Fondo de Cultura Económica, 2004.

RODRIGUES, José Honório. *A independência: Revolução e contrarrevolução*. Rio de Janeiro: Francisco Alves, 1975.

SCHULTZ, Kirsten. *Versalhes tropical: Império, monarquia e a Corte real portuguesa no Rio de Janeiro, 1808-1821*. Rio de Janeiro: Civilização Brasileira, 2008.

SILVA, Ignacio Accioli de Cerqueira e. *Memórias históricas e políticas da Bahia*. Anotadas por Braz do Amaral. Salvador: Imprensa Oficial do Estado, 1931.

SILVA, Maria Beatriz Nizza da. *Movimento constitucional e separatismo no Brasil: 1821-1823*. Lisboa: Livros Horizontes, 1988.

_____. *Semanário cívico: Bahia, 1821-1823*. Salvador: UFBA, 2008.

_____. *Diário Constitucional: Um periódico baiano defensor de d. Pedro I — 1822*. Salvador: Edufba, 2011.

_____. *A primeira gazeta da Bahia: Idade d'Ouro do Brazil*. 3. ed. Salvador: Edufba, 2011.

SOUZA, Iara Lis Carvalho. *Pátria coroada: O Brasil como corpo autônomo, 1780--1831*. São Paulo: Unesp, 1999.

_____. "Os folhetos da Independência: Fontes para a história das ideias políticas no Brasil". *Anais da I Reunião da Sociedade Brasileira de Pesquisa Histórica*. v. 1. São Paulo: 1982.

TAVARES, Luís Henrique Dias. *Independência do Brasil na Bahia*. Salvador: Edufba, 2007.

_____. "Cipriano José Barata de Almeida". In: *Da Sedição de 1789 à Revolta de 1824 na Bahia*. Salvador: Edufba; São Paulo: Unesp, 2003.

VARNHAGEN, F. A. *História da Independência do Brasil*. 6. ed. Brasília: INL, 1972.

ZAN, Elda Therezinha. "Os folhetos e o ideário político da Independência do Brasil". *Memória da II Semana de História de Franca*. Franca: Campus de Franca, 1981.

ESTA OBRA FOI COMPOSTA EM MINION PELO ACQUA ESTÚDIO E IMPRESSA
PELA GRÁFICA BARTIRA EM OFSETE SOBRE PAPEL PÓLEN SOFT DA SUZANO PAPEL
E CELULOSE PARA A EDITORA SCHWARCZ EM DEZEMBRO DE 2012

A marca FSC® é a garantia de que a madeira utilizada na fabricação do papel deste livro provém de florestas que foram gerenciadas de maneira ambientalmente correta, socialmente justa e economicamente viável, além de outras fontes de origem controlada.